KB095745

크리스천 부모의 특별한 자녀교육

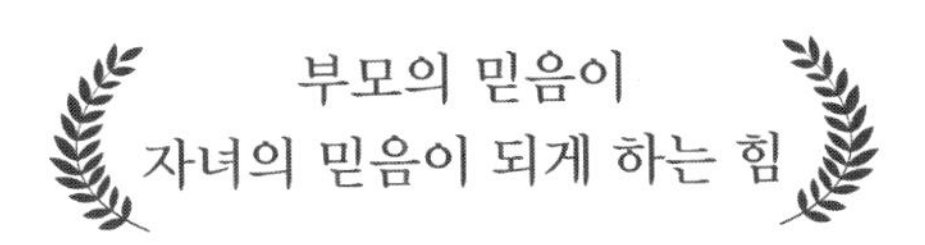

부모의 믿음이
자녀의 믿음이 되게 하는 힘

크리스천 부모의 특별한 자녀교육

임규석 지음

어떻게 믿음의 자녀로 키울 것인가?
고민하는 크리스천 부모들에게

하이지저스

머리말

지금부터라도 좋은 부모가 되어 볼까?

나는 40년간 학교 현장에서 변해가는 세대와 학부모들의 수고를 대하며 지난 20년 전부터 썼던 글들을 현 주제에 맞추어 다시 정리하면서 현시대를 살아가는 좋은 어른이 무엇이며, 좋은 부모의 역할이 무엇인지를 찾아보게 되었다. 어려서부터 교회 생활을 하며 지금은 한 교회 장로가 되어 그동안 믿음이 내 인생에 끼친 영향력이 컸기에 결국 모든 이야기의 결론은 기독교 세계관일 수밖에 없지만, 신앙인에게나 비신앙인에게 신앙인으로 살려고 애썼던 삶 속에서 어른의 역할을 제시하였다. 언젠가부터 부모라는 무거운 짐을 지며, 어쩌다 어른이 되어 어른 대접을 받지만, 마음은 젊어서의 추억에 아직도 젊은 것 같은데 다른 사람들에게 어른 대접받는 것이 익숙하지 않다.

먼저 어른이 된다는 것이 때마다 상대해야 하는 사람들과 잘 어울리기 위해 끊임없는 소통과 인내와 배려가 있어야 한다는 것을 깨닫게 되었다. 때가 되어 결혼을 하고 나와 다른 배우자와 맞추어 살기 위해, 끊임없이 싸우고 지고 양보하며 어른을 배웠다. 때가 되어 자식을 키우며 고집을 꺾고 참고 받아주고 어우르며 어른이 되어갔다. 때가 되어 한 공동체에 참모나 장이 되어 투쟁하고 설득하고 경청하고 타협하며 성과를 내야 하는 과정에서 어른을 알게 되었다. 그래서 감히 말하지만 내 마음대로 살지 않고 남을 위해 참고 희생하고 양보해야 하는 것을 경험해 보지 못했거나 혹은 때마다 자기 나름의 가치관으로 스스로 결정해 보지 못했다면 아직 성숙한 어른이라고 할 수 없을 것이다.

나는 교사로 있으면서 어른이 되는 제자들과 후배들에게 몇 가지 중요한 이야기를 하였다. 먼저 공자의 말씀에 30에 立志하고 40에 不惑하고 50에 知天命하며 60에 耳順하고 70에 從心이라는 말이다. 어른이 되면 뜻을 정하고 다른 사람의 말을 잘 듣고 순해져야 한다. 또 서산대사의 "踏雪野中去 不須胡亂行 今日我行蹟 遂作後人程"(답설야중거 불수호난행 금일아행적 수작후인정)의 싯구이다. 먼저 걸을 때 함부로 걷지 말아야 하는 것은 나의 발걸음이 후인의 이정표가 된다. 그리고 성경 고린도전서 13장 사랑장에 "내가 어려서는 깨닫는 것과 생각하는 것이 어린아이와 같았지만 장성한 사람이 되어서는 어린아이의 일을 버렸다"는 말씀이다. 어른이 되면 어린아이의 생각을 버리고 어른다워야 한다. 그래서 어른이 되는 과정은 자신의 생각과 뜻이 정해지고 표현되는 행동과 성과에 책임지는 것이라는 생각이다. 내 생각과 뜻이 정해지지 못하면 자신의 판단과 남들의 이야기에 한없이 흔들린다. 나는 어려서부터 하나님을 믿고, 때마다 하나님의 부르심에 사명을 깨달아 삶 속에서 하나님의 청지기로서의 생활을 실천하려고 노력하며, 기독교 세계관이라는 가치관으로 살아왔다. 어른의 조건 중 첫 번째인 삶의 가치관을 바로 세웠다는 생각이다.

또 나도 모르게 어쩌다 어른이 되면서 면허증도 없는 무면허 부모가 되었다는 것을 인식한 것이다. 내가 어려서 아버지가 하늘같고 산같은 분이었는데 이제 내가 그런 아버지가 되었다. 어느새 자녀를 잘 키워야 하는 의무감과 우리나라 자녀 교육 분위기에 휩쓸려, 지지가 아닌 간섭이 되고 격려가 아닌 욕심이 되어 아이 키우기가 쉽지 않다는 것을 알게 되었다. 우리나라에서 자녀 교육이란 공교육보다 사교육을 통한 부모의 바람이 투사되어 자녀 키우기가 한없이 어렵고 부담이 된다. 지금도 아침에 자기보다 큰 가방을 멘 자녀를 유치원 버스에 태워 보내는 엄마들의 모습, 직장에 나와 수시로 전화하며 '밥 먹었니, 숙제했니, 수학문제 풀었니?'를 물으며 자식을 챙기는 엄마들의 애처로운 직장 생활, 바른 믿음을 교육시키고자 비싼 등록금을 내며 기독대안학교로 보내는 엄마들의 헌신, 회사에서 무시 당하면서도 처자식들 먹여 살리려 참고 지내는 아빠들의 모습을 보며, 그 아이들이 부모 뜻대로 잘 성장하여 이 나라의 큰 인물이 되기를 간절히 바라는 마음과 함께 옛날 나의 부모 역할을 돌아보게 한다.

나도 다른 부모들과 똑같은 시행착오를 겪었다. 내 자식이 뒤처지지 않도록 관심을 갖고 양육하면서 학생을 가르치는 교사로서, 교회에 다니는 크리스천으로서 기대감도 많았지만 항상 조심스러웠던 기억이 난다. 40년간 교육현장에서 학부모들이 자기 자녀에 대해 자랑하거나 홀로 안타까워하면서도 그 마음을 숨기거나, 혹은 눈물 흘리며 자책하고 기도를 부탁하는 것을 보며, 자식 농사가 1, 2년 지어지는 것이 아니라 10, 20년에 걸쳐 결과를 보게 되니, 스펄존 목사님의 '기도하지 않고 성공했다면 성공한 것 때문에 망한다'는 말씀이 마음에 다가온다. 만일 공부를 잘해서 서울대 합격이라는 성공이 기도없이 이루어졌다면 나중에 그것때문에 망할 수 있다는 교훈을 듣게 된다. 그래서 내 생각에 부모 역할의 제일은 상황에 맞게 이것 저것 챙겨주는 것도 중요하지만 자녀들이 하나님을 경외하도록 마음을 잡아주는 것이라는 결론을 내리게 되었다. 그러면 나머지는 하나님이 알아서 돌봐주시고 인도해 주심을 경험하였기 때문이다. 자식이 부모 품에 있을 때 일관성있는 아비의 훈계와 어미의 법도를 경험하면 하나님을 경외할 줄 아는 어른이 될 것이다.

2023년 6월 임규석

목차

Chapter 3

신앙의 가치관 세우기

Chapter 4

부르심을 아는 자녀로 키우기

Chapter 5

자녀에게 꼭 필요한 리더교육

Chapter 6

역사를 통해 배우다

Chapter 1

우리나라의 교육 현실 바로 보기

우리나라 교육은 내 자식을 두고 주변에 모든 사람이 교육 전문가가 되어 배가 산으로 가는 모습이다. 그러나 그 중심에 엄마가 있어 다행인듯 불행한 것이 현실이다. 옛날부터 현실은 힘들고 고달픈 삶으로 표현되어 왔다. 지금 우리 사회의 현실도 별반 다르지 않다. 특히 젊은이들이 결혼하기를 기피하고 아이 낳기를 꺼리는 것은 자기 자식이 현실에서 살아가기 힘들거라는 예측이 반영되었기 때문이라는 생각도 든다. 그러나 옛날 사람들도 그러면서 잘 살아왔던 것처럼 현실의 어려움 때문에 포기하며 살기보다 현실을 바로 보아 어려움을 극복하는 방안을 찾는 긍정적이고 어른다운 태도를 가졌으면 한다. 그래서 우리나라 사회와 교육 현장, 그리고 우리 세대에 대한 오해와 현실을 살펴보고, 이런 상황에서 좋은 어른의 조건과 역할이 무엇인지를 찾아 보고자 한다.

우리나라의 현실 보기, 경쟁 사회

우리나라만큼 경쟁이 치열한 나라도 별로 없다. 이는 근대화 과정에서 치열하게 살 수밖에 없었던 사회 분위기와 이를 부추기던 사회 시스템이 만든 산물이라고 생각한다. 경쟁을 통해 개인은 남들보다 더 잘 살게 되고, 국가는 급속도로 발전할 수 있었다. 그런 과정에서 몇몇의 승자들의 행복을 위해 대다수의 패자들이 희생을 감수하며 살 수밖에 없었다. 현재 고등학교의 분위기가 전쟁터 같다고 한 설문 조사에서 미국과 중국은 40% 정도 나온 통계에 비해 우리나라는 80%가 넘게 나왔다고 한다. 어려서부터 대학 가기 위해 경쟁이라는 전쟁터에서 치열하게 싸우는 아이들이 대학을 가고 사회에 진출하면 전쟁터가 아닌 지옥에서 산다고 말한다. 어려서 공부만 했던 습관이 어른이 되어서는 일만 하는 사회가 되고 말았다.

그러면 이렇게 경쟁을 부추킨 근본은 어디에 있을까? 그중에 하나는 해방과 동시에 교육 시스템으로 받아들인 진화론에서 기원을 찾을 수 있다. 진화론의 기본은 모든 생명체는 우연히 시작되었으며, 돌연변이의 우연한 결과 더 좋은 방향으로 진화되었고, 그것은 자연의 법칙인 양육강식, 적자생존, 생존경쟁 등이 세상을 지배하기 때문이라고 주장하는 논리이다. 그래서 진화론의 확대는 세상을 완전히 바꾸어 놓았다. 첫째는 과학으로 증명되지 않는 것을 부정하는 과학주의로써 과학적 연구 방법(도덕과 영혼에 대한 관찰 불가능, 기적과 미경험 영역에 대한 증명 불가능)의 한계에도 불구하고 객관적 사실만을 진리라 인정하는 것이다. 둘째는 종교에서 벗어나 이성 중심의 사고방식이 확대되면서 계몽주의 사고방식이 발전하여 물질만능주의, 개인주의, 공리주의가 출현하여 세상의 가치를 인간 중심으로 바꾸어 놓았다. 셋째는 생존경쟁과 약육강식의 논리로 군국주의에 의한 전쟁과 히틀러의 인종 우월주의의 학살, 유물론과 투쟁론 중심의 공산주의가 등장하여 세상을 경쟁과 투쟁과 싸움으로 바꾸어 놓았다. 최근 연구에 의하면 진화론을 학교에서 가르친 것을 기점으로 교회가 문을 닫고 교인수가 감소하게 되었다고 한다.

진화론을 바탕으로 한 생존 경쟁의 결과 우리 아이들에게서 서글픈 인간성을 보게 되었다. 현재 고등학교에서 기숙사나 심화반에 들어가는 기준은 성적순이다. 공부를 잘해 심화반에 들어갔다가도 다음 시험 성적이 떨어지면 쫓겨난다. 이때 학생은 큰 충격과 부끄러움에 자존감을 잃고 다음번에 들어가기 위해 노력하지만 자신이 들어가면 다른 친구가 떨어져야 한다는 냉혹한 경쟁에 마음 아파한다. 또 장학금이나 선택권 등 학교에서 주는 혜택은 항상 성적순에 의해 정해진다. 특히 대학에서는 더욱 심하다. 같은 대학 같은 과 안에서도 학생들은 어떻게 입학했는지에 따라 서로에 대한 인식이 달라진다. 그중에 최고가 정시 입학자로서 이들은 수시전형, 지역균형, 기초균형, 농어촌전형 입학자들은 고생도 하지 않고 편하게 입학한 실력없는 자라고 하여 자신의 노력을 억울해한다. 이는 정시 입학자가 갖는 자부심과 자신의 노력을 날로 먹으려는 실력없는 자들에 대한 편견으로 매우 심각한 상황이다. 영어 과외를 구해도 외고 졸업에 정시로 입학한 학생에게 기회가 주어지지 일반고 출신이나 수시 입학자에게는 과외 주문도 들어오지 않는다고 한다. 또한 취업이 잘되는 학과(특히 경영학과)는 처음부터 실력 좋은 학생들이 들어왔기에 이들은 그 대학에서 서열이 높고 외부 지원도 많아 강의실, 기숙사 등 혜택도 많다. 그래서 이 과에 부전공으로 신청한 학생들을 불편하게 생각하고, 또 전과한 학생들을 무시하여 원 집단에 소속되지 못하도록 위화감, 소외감을 갖게 한다. 우리의 젊은이들이 출신고, 입학전형, 학과 등으로 서로 구별하고 차별화하여 자신의 우위를 확인하고 집단화시키려는 것은 그동안 어른들이 가르친 것에 대한 결과이다. 자신이 상대보다 더 낫다는 명분을 만들고, 자신의 우위로 위안을 받기 위해 남과 달라야 한다는 생각이 마음 속 깊이 뿌리 내린 결과로써 결국 직장과 일터에서도 학벌 중심의 우위 의식이 남을 넘어뜨리고 남을 짓밟아야 하는 경쟁으로 이어진다.

아이들의 행복을 되찾고, 세상은 살만한 가치가 있고 살기에 즐겁다는 생각을 심어주기 위해 경쟁 체제를 버리고 배려와 사랑을 가르쳤으면 좋겠다. 모든 교육의 기본은 사랑의 회복이다. 내가 다른 사람을 사랑하고, 내가 세상에 뭔가 좋은 것을 주어야 한다는 느낌을 갖는 순간 그 학습 동기는 꺾을 수 없을 것이다.

현실의 착각, 혹은 편견

근대 초기 영국의 베이컨은 중세의 종교적 권위 아래 현학적이고 자만과 신비주의에 빠진 편견과 선입견을 극복해야 한다며 4가지 우상을 파괴해야 한다고 주장하였다. 종족의 우상(인간 중심으로 해석하는 편견), 동굴의 우상(검증되지 않은 자기만의 주관적 신념이나 개인적 성향으로 세상을 보는 편견), 시장의 우상(언어와 문자를 잘못 사용해서 생기는 편견), 극장의 우상(철학이나 학설, 전통이나 종교를 무조건 믿는 데서 생기는 편견) 등이다. 인간은 죽을 때까지 우상과 선입견과 편견에 사로잡혀 살 수밖에 없음을 말해주고 있다. 우주의 티끌보다도 작은 인간이 평생을 살며 알 수 있는 지식 역시 티끌만큼도 못될 텐데, 자기 중심으로 자기가 알고 있는 범위에서 이해하고, 자기도 모르는 편견과 선입견을 가지고 판단하고 선택하는 것이 우습기도 하다. 그래서 베이컨의 우상에 대한 이야기는 우리에게 더욱 겸손하라고 가르치는 교훈인 것이다. 자신도 모르게 형성된 편견과 선입견, 착각과 왜곡에 어떤 것이 있는지 알아보고자 한다.

첫째, 현대 능력주의 하에서 자신의 성공이 공정했다고 하는 착각이다. 서양에서 자본주의의 근간을 이룬 칼빈의 예정론은 하나님의 은혜로 우리의 구원이 이루어지고, 내 삶의 결과는 자신의 노력이 아니라 하나님의 섭리에 따르며, 모든 사람은 하나님에게서 직업을 소명으로 받았기에 그 직업에 최선을 해야 한다는 직업 소명론을 제시하였다. 그런데 이렇게 직업에 매진하다 보니 점차로 직업을 통해 성공하고 복받는 것이 구원받은 사람의 증표로 인식하게 되면서 치열한 능력주의적 직업 윤리로 발전하였다. 그래서 자기 운명에 대한 책임 윤리는 하나님의 은혜로 인한 겸손함에서 자신의 능력을 통한 성공한 자의 오만함과 패한 자의 굴욕으로 대체하게 되었다. 이는 번영 신앙에서도 믿음 좋은 사람은 하나님으로부터 풍족한 보상(부와 건강)을 받고, 그렇지 못한 자는 끝내 파멸할 수밖에 없다는 것이 공정한 법칙이라고 말하게 되었다. 스스로의 노력으로 성공한 사람(엘리트, 전문가, 전문직업 계층)은 그만한 보상을 받을 자격이 있어 자랑스러워 하고, 그렇지 못한 사람들(덜 성공한 자, 노동자 계급, 저학력자, 빈곤층, 다문화자)은 힘들게 사는 것이 당연하다고 취급받아 자신의 무능력에 자책감을 갖거나 사회 제도의 불평등에 분노를 갖게 되었다. 그러나 이는 착각이었음을 알아야 한다. 즉 성공한 사람들의 남다른 출발점(출신 가정, 교육 환경, 문화적 기회 보장 등)부터 공정치 못한 것이다. 또 그들의 성공이 혼자 힘으로 열심히 해서 성공한 것이 아니라 함께한 누군가의 도움으로 성공했다는 사실이다. 그러기에 성공에 오만하지 말고 남의 도움과 하나님의 은혜라는 사실을 알고 겸손히 함께 살아가는 법을 배우고 공동선을 이루어가야 한다.

둘째, 우리는 자녀가 어려서 말을 배우고 새로운 것을 배워나갈 때 마치 천재가 아닌가 착각한다. 내 아이가 최고라는 편견으로 자녀를 키운다. 온통 내 아이에게만 집중하다 보니 자녀의 성장 과정이 자랑거리이다. 그러나 유치원에 가서 다른 아이들과 비교하면서 그렇지 않다는 것을 알게 되지만 포기하고 싶지가 않다. 또 어느 정도 공부를 잘해주면 뭐라도 할 거라는 기대를 갖게 된다. 그래서 일찌감치 선행학습을 통해 남들보다 잘할 수 있도록 가르친다. 요새 최고 인기 직종이 의사라고 하여 뜻있는 부모들은 자식을 의대에 보내려는 욕심에 대치동 학원에 초등학교 의대반을 운영한다는 말이 있다. 고등학교 상위 1%도 제대로 들어갈 수 없는 의대에 내 자식이 갈 수 있을 거라는 착각에 어릴 때부터 너는 천재니깐 노력하면 할 수 있다고 자식에게 희망고문을 가한다. 오랫동안 학교에 있으면서 알게 된 바는 특별히 공부 잘하는 아이들은 운동을 잘하는 아이처럼 타고난 능력이라는 사실이다. 머리가 워낙 좋든지 공부할 수 있는 가정 환경을 타고난 경우이다. 이제 일찌감치 박찬호를 앉혀 수학경시대회 준비시키지 말고 자기가 잘하고 좋아하는 야구를 가르치는 것이 부모의 역할이라 생각한다.

셋째, 지금 우리 부모는 자녀들이 좋은 대학을 나오면 성공할 거라는 착각에 빠져있다. 왜냐하면 자기가 경험한 절대적 확신 때문이다. 부모들이 좋은 대학에 진학하여 성공했을 때는 우리나라가 10%대의 경제 성장, 매년 2명대의 인구 성장, 한강의 기적을 통해 일거리가 풍족한 시대였다. 그러나 우리 아이들이 살아야 할 시대는 0%대 경제 성장, 0.8명대의 인구 감소, 초고속 노령화 사회, IT 중심의 4차산업 사회, 어려운 일을 안 하려는 시대가 되었다. 미래에 우리 아이들은 자식도 돌봐야 하지만 2,3명의 노인도 부양해야 하는 힘든 시대가 올 것이다. 일하기도 힘들지만 열심히 일해서 국가에 세금내고 나면 살아가기 빠듯할 수밖에 없을 것이다. 그러니 요새 젊은이들이 10포 세대, 헬조선 세대라 불려지기도 하고, 그래서 부모들은 자식이 이런 저런 변화에도 상관없이 잘 살 수 있는 몇 안 되는 상위 직업을 갖도록 치열한 경쟁에 내몰고 있는지도 모르겠다.

이제 우리나라 안에서 상대를 짓밟고 성공하려는 생각보다 서로가 윈윈하며 상생할 수 있는 마음과 눈을 키워 주어야 할 것이다. 즉 블루오션을 찾고 개발하는 창의력과 넓은 세상의 글로벌적 사고를 키워주어야 한다. 미국에서 IT계통의 직장에서 넉넉한 보수를 받으며 일하고 있는 유학파 젊은이가 '왜 우리나라 사람들은 미국에 와서도 더 좋고 할 수 있는 직업도 많은데 꼭 사자가 들어가는 직업(의사, 치과의사, 변호사, 회계사 등)을 가지려 고생하는지 모르겠다'고 했던 말이 기억난다.

불행을 가르치는 교육, 좋은 대학 가기

교육이란 한 개인의 잠재된 능력을 학습을 통해 끌어내어 자신의 자아 성취는 물론 사회에 적응하고 기여하도록 돕는 하나의 성장 과정이라고 할 수 있다. 그러나 실제로 개인은 교육을 통해 신분을 상승시키려 하고, 국가는 국가 발전에 기여하도록 교육을 이용하게 된다. 그러한 교육의 기능이 우리나라에서는 좋은 대학 가는 것이 목표가 되었다. 우리나라 교육이 대학가는 것을 목표로 할 수밖에 없는 이유가 몇 가지 있다. 첫째는 작은 땅덩어리에 인구는 많고, 많은 사람들 가운데 좋은 인재를 고르려 하다 보니 더 많이 배우고 똑똑한 사람을 뽑을 수밖에 없는 지정학적 인구 문제이다. 둘째는 과거 조선시대로부터 과거제도를 통해 입신양명하여 신분을 상승시켜 왔던 전통에 가문의 영광을 바라고 개인의 성공을 기대하는 역사적 전통 문제이다. 셋째는 우리 사회가 급속한 발전을 이루는 과정에서 학벌 위주의 사회 구조가 형성되고 더 좋은 대학 졸업자들에게 더 나은 경제적 대우가 주어지는 경쟁 구조에서 형성된 사회경제적 구조

문제이다. 그래서 어떻게든 공부를 잘해서 좋은 대학을 가고 나면 신분이 향상되고 잘 살 수 있는 확률이 높아진다는 사회적 인식은 부모들로 하여금 자식 교육에 올인할 수밖에 없는 사회적 시스템이 만들어졌다. 그러다 보니 교육의 선한 기능보다 경쟁을 통한 서열화의 악순환이 이어지면서 몇몇 사람의 성공을 위해 대다수가 성공하지 못하는 불행을 가르치는 교육으로 전락하고 말았다. 이러한 불행은 곳곳에서 나타나고 있다.

첫 번째는 요즘 엄마들이 우리 아이가 잘 되기를 바라며 열심히 도와준다고 하면서 주객이 전도되어 아이의 자율성을 침해하고 아이 스스로 해야 할 일까지 엄마가 맡아, 아이가 엄마의 도움 없이는 아무것도 못하는 존재가 되었다는 것이다. 최근 설문조사에 의하면 학부모가 행복한 경우 86%가 '아이가 눈 앞에 보이지 않을 때'이고, 아이가 불행한 경우 56%가 '엄마와 눈 마주칠 때'라고 한다. 이는 현실적으로 엄마의 계획에 따라 공부시키는 엄마와 공부해야 하는 아이의 불행을 표현한 수치이다. 이러한 엄마의 도움 같은 간섭은 아이들에게 엄마와의 대화에서 90%가 공부하라는 말로 들린다고 한다. 엄마가 존경의 대상이 아닌 짜증과 분노의 대상이 되었고, 특히 우등생 자녀가 엄마를 살해하는 일까지 이르게 되었다. 그 결과 우리나라는 청소년의 주관적 행복도가 OECD 꼴찌로 나타나고, 초등학생 3%, 중고등학생 20%가 우울증 환자이며, 청소년이 3일(2.74일)에 1명씩 극단적인 선택을 하고 있는 현실이 되었다.

두 번째는 엄마들은 아이가 어릴 때 나름대로 교육에 소신을 갖고 행동하나 유치원에 들어가는 순간 수많은 정보를 들으면서 남들과의 비교에서 뒤떨어지지 않으려고 사회적 성공을 담보하는 사교육 시장에 내몰리게 되었다는 것이다. 교육 수준이 높은 부모일수록 더욱 성취 지향적이다. 과거에는 학생 개인의 능력이 인정을 받았지만 지금은 특수계층의 정보력이 더욱 큰 효과를 얻게 되었다. 이러한 현실은 우리나라 교육과 사회 진출에서 개인적인 능력으로는 신분 상승이 어려워졌다는 것(개천에서 용 나지 못하는 것)과 입시제도가 공정하지 못하다는 것(3천 가지 입시 정보를 알면 공부 잘하지 못해도 좋은 대학을 갈 수 있음) 때문에 사교육이 더 발달하게 되었다.

세 번째는 아이들이 공교육을 통해 정상적인 과정을 수료하면 대학 갈 수 있는데도 상위 그룹에서는 더 좋은 대학을 가기 위해 어릴 때부터 특별히 관리해야만 하는 현실인 것이다. 즉 초등 저학년 때 초등 과정을 마치고 초등 고학년 때 중학교 과정을 마치고 고등학교 가서는 대학을 위해 올인하는 시스템이다. 이 과정에서 사교육에 의지하지 않으면 안 되고 더불어 일찌감치 진학 컨설팅을 통해 만반의 준비를 한다. 그래서 외국어고, 과학고, 영재고 등 특별한 코스로의 진학을 해야 하고, 혹은 중고등학교 때 유학을 보내 외국인 전형으로 손쉽게 진학을 준비하는 경우도 있다. 다행히 각 학교마다 학교장 추천으로 수시로 대학 갈 수 있는 입시 전형도 있지만 이 또한 한 학교에서 3년간 1등을 놓치면 안 되기에 전력투구할 수밖에 없다. 그렇게 진학한 학생들은 자기들의 노력에 대한 보상을 얻기 위해 실력이 없는 동료들을 무시하거나 공부가 지겨워 더 이상 공부하지 않는 경우가 종종 나타난다.

네 번째는 그로 인하여 우리나라에서 자녀를 둔 부모는 평생 눈물을 흘린다는 것이다. 부모의 등쌀에 아이가 잘 적응해주면 좋은데 대부분이 그렇지 못하다. 그래서 우리 자녀들의 아동기는 치료받는 시기이다. 10대는 중독에 빠진 시기이다. 20대는 취업 준비 시기이다. 30대는 위태로운 직장인 시기이다. 40대는 실패하고 자영업하는 시기이다. 50대는 부모에게 유산 반환 소송을 위해 투쟁하는 시기이다. 어린애들, 특히 도시의 아이들은 너무 스트레스를 받아 틱장애, ADHD, 왕따에 시달려 머리, 마음, 몸 활동의 조화가 무너져 있다. 아이들을 억지로 놀게 해야 한다. 10대 아이들은 자존감이 무너져 있다. 아이가 느끼는 자존감이 떨어진 느낌은 내가 인격 무시를 당할 때 느끼는 감정이 지속적으로 있는 상태라고 한다. 자살충동, 분노, 우울증이 나올 수밖에 없다. 아이들은 이를 극복하려고 중독에 빠진다. 자존감은 부모의 말투와 표정에서 아이가 그대로 느낀다. '너 같은 애가 뭘 하겠니, 쟤는 왜 사니?'하며 무시하면서 어떤 조건과 거래하려는 마음이다. 우리 부모들의 자녀 교육은 결국 후회와 자책감이다. 그런데 이를 알고 고치려 해도 스스로 해낼 수 없다. 20대, 30대 취업을 해도 스스로 해내지 못해 부모가 개입하거나 인간 관계를 견디지 못해 스트레스 받으며 정신적으로 고통받다가 퇴사하여 자영업을 해보지만 이 또한 쉽지 않아 실패하며 좌절하다가 모든 것이 부모의 탓이라 투사하면서 내 인생 책임지라며 부모의 재산을 빼앗으려 하는 단계까지 갈 수 있는 안타까움이 반복된다.

다섯 째는 옛날 우리 부모는 할 일이 없었다. 대가족제에서 어른의 지침을 잘 따르고 많은 형제들이 스스로 배워 나갔다. 그런데 핵가족화, 도시화, 산업화, 사교육화 등으로 부모의 역할이 바뀌었는데 이를 가르쳐주는 표준적 규범이 없다는 것이다. 쉬운 말로 도로에서 모두가 난폭 운전을 하고 있다. 규범화된 학교의 학년과 아이의 나이를 무시하고 선행학습, 반복학습의 무한 경쟁으로 학습의 질서가 무너져버렸기 때문이다. 우리 학부모들은 엄마 주도 관리 전략을 써서 아이의 문제를 사전에 예측해 예방하려고 아이의 상태와는 상관없이 미리 준비시키려니 아이는 짜증을 부린다. 아이 주도 관심 전략을 쓰면 아이가 부모의 도움을 고마워할 텐데. 부모의 진심이 욕심으로 바뀌지 않고, 이웃과 함께하는 마음을 심어주어야겠다.

이제는 아이의 존재 자체로 무조건 사랑하는 마음이 전달되어야 한다. 20대 이후에는 아이가 스스로 고생하고 실패하면서 결국 바른 인성을 갖게 해야 한다. 아이들이 바른 언행을 할 때 좋은 감정을 갖게 하고, 잘못된 언행을 할 때 부정적 느낌을 갖게 함으로 바른 인성을 소중히 여기게 해야 한다. 이는 결국 미래 역량을 길러주는 것으로 경쟁적 문제 풀이식 교육이 아니라 협력적 문제 해결력 교육에 의해 이루어질 것이다. 어른이 되어 주변 사람이 같이 일하고 싶어 하는 사람이 되도록 가르쳐, 똑똑한 아이보다 주변을 돌아보는 착한 아이가 되도록 가르쳤으면 좋겠다.

학부모의 욕심, 교육열

요즘 부모가 되면 해야 할 일들이 너무 많다. 어릴 때부터 자녀의 진로에 대해 설계해 주어야 하고, 아이가 짜증나지 않도록 눈치 봐야하고, 아이의 공부와 입시에 대한 모든 정보를 알고 돌봐주어야 한다. 그래서 아이가 대학을 갈 때까지 공부에 대한 계획과 감독, 입시 전형까지 챙겨야 하고, 이후 대학 생활과 직장 생활의 어려움도 도와주어야 한다. 그래서 요즘 엄마에 대한 신조어로 마미저(엄마 매니저), 스텔스 맘(눈에 보이지 않는 엄마의 지원), 헬리콥터 맘(아이 주변을 맴돌며 챙겨주는 역할) 등이 있다. 이렇게 부모의 돌봄 속에 교육받은 아이들이 젊은이가 되면 무척 약해 보인다. 그 어렵게 들어간 대학을 나오고도 취업을 못하고, 돈 잘 벌기 위해 전혀 자신에게 맞지 않은 일을 해야 하고, 부모로부터 독립하지 못하고 계속 부모 돈 갖다 쓰고 있다. 사회에 일자리가 없는 것도 문제이지만 너무 귀하게 크다보니 사회에 자신의 눈에 차는 직업이 별로 없는 것도 문제이다. 그래서 요새 젊은이들을 이태백, 삼태백(이십대 백수들이 그대로 삼십대까지 백수), 캥거루족(아직도 엄마 뱃속에서 영양분을 공급받아야만 하는 아이들)이라 부른다.

현재 젊은이들의 부모 세대인 베이비붐 세대는 너무 어렵게 자랐지만 열심히 공부하여 우리나라를 경제 대국으로 성장시킨 사람들이다. 그 과정에서 성공한 부모는 자식을 더 큰사람으로 만들려고, 실패한 부모는 자기처럼 되지 않게 하기 위해서 자식 교육에 목숨을 걸고 엄청난 투자를 했다. 그 아이가 어떤 아이인지를 알아 그에 맞게 키워주는 것이 아니라 모든 것에 만능이 되도록 키우려고 한다. 하나님은 모두 공부 잘하게 달란트를 주지 않았을 텐데 모두가 전 과목에 걸쳐 공부를 잘해야 한다고 가르쳤다. 왜냐하면 공부 잘하면 성공한다고 하는 과거의 자기 생각 때문이다. 지금 우리나라 아이들이 가장 싫어하는 사람이 엄마 친구의 자식인 엄친아이다. 엄마는 항상 자식에게 친구 자식은 운동도 잘하고 피아노도 잘치고 공부도 잘한다고 하면서 너도 그만큼 하라고 닦달한다. 그러니 매일 전쟁이다. 그 자식이 엄마 말을 잘 듣고 따라주면 좋은데 절대 그럴 수가 없다. 왜냐하면 박지성을 앉혀 놓고 수학올림피아드 시험공부를 시키기 때문이다. 엄마로서는 얼마나 많은 돈을 들여야 하고 아이로서는 얼마나 죽을 맛일까. 이것이 우리나라 교육에 자녀를 위해 올인하는 부모들의 교육열이다. 아이를 그 모습 그대로 인정하지 않고 부모의 욕심으로 개조를 시켜놨으니 대학은 잘 보냈어도 대학 나와서 별로 할일이 없다. 그러니 지금의 청년 백수는 그 청년에게도 문제가 있겠지만 사실 우리 부모들이 만들었다고 해도 할말이 없다.

그래서 부모가 자식에게 꼭 해 줄 것이 있다면, 첫째는 그 아이를 있는 그대로 봐주는 것이다. 즉 자식이 하고 싶어 하는 일을 즐겁게 하도록 격려하고 지원해주고 도와주어야 한다. 둘째는 그 아이가 잘 성장할 수 있도록 정보를 제공해 주는 것이다. 지금은 과거처럼 개천에서 용이 나올 수 없는 시대이다. 부모가 해 줄 일은 자녀를 개조시키는 것이 아니라 중요한 것을 선택하고자 할 때 좋은 정보를 제공하여 그 길을 갈 수 있도록 도와주는 것이다. 셋째는 부모의 모범된 삶을 보여주는 것이다. 어려서 부모의 가치와 욕심을 보며 자란 아이들이 성년이 되면 부모와 똑같은 생각과 행동을 한다는 사실이다. 교육의 효과는 금방 보이지 않지만 나중에 두려울 정도로 그대로 반영된다. 어린 자녀들에게 부모의 좋은 가치관과 일관된 가르침을 보고 자라게 해야 한다. 그런 면에서 신앙 생활하는 부모는 아이에게 하나님이 세상의 주인이며 우리의 삶을 이끌어주시는 능력이 된다는 기독교 세계관을 심어주는 것을 사명으로 여겼으면 좋겠다.

우리 아이들, MZ세대의 이해

요즘 아이들을 싸가지가 없는 아이들, 럭비공처럼 어디로 튈지 모르는 아이들, 북한 지도자 김정은도 무서워하는 아이들로 부른다. 왜 그렇게 되었을까.

첫째, 과거에는 한집에 4,5명의 아이들이 한 방에서 집단생활을 해야 했고, 부모가 바빠 방목 상태에서 알아서 커야했다. 그러나 지금은 자녀가 1,2명이라 공주와 왕자로 귀하게 크고 태어나서부터 자기 방이 있어 개인의 선호와 결정력이 높아져 자기중심적이고 이기적인 개인주의가 발달했다. 둘째, 과거에는 먹고 살기 힘들어 생존하는데 그치고, 근검절약과 청빈한 생활을 해야만 했다. 그러나 지금은 최소 국민소득 2만 불에 경제성장 5,6%대에서 성장한 아이들이라 부족한 것이 없이 풍부하여 물질만능주의와 소비에 익숙할 뿐 아니라 눈에 보이는 것을 중시하여 얼짱, 화장, 성형이 당연시되고, 해외여행이나 다양한 경험으로 사치와 낭비에 익숙해져있다. 셋째, 과거에는 문화적 혜택이나 지식과 정보를 얻을 수 있는 대상이 교회나 학교 등에 제한되어 7,80명이 한 교실에서 무시를 당하고 차별을 당해도 당연하게 받아들였고 작은 혜택에 고마워하였다. 그러나 지금은 한 교실에 2,30명의 적은 숫자에 개성이 강하고 각자의 기대수준이 높아 개인적인 과외나 음악, 미술, 체육 학원에서의 사교육과 다양한 체험 프로그램에 참여하여 모두가 엘리트가 되고 귀한 대접을 받는다. 특히 80년대 20%의 대학 진학율에 비해 지금 75% 진학률로 모두가 잘 살 수 있는 기회가 제공되어 많은 꿈을 꾸고 도전하며 치열하게 경쟁하고 있다. 넷째, 과거에는 먹고 살기에 바빠 놀이나 여유와 여가가 없었다. 그러나 지금은 국민소득 3만 불 시대에 못하는 것 없이 다할 수 있고, 특히 디지털과 글로벌 의식이 일반화되면서 도전의식, 자신감, 동등의식(일방적 지시보다 상호 협의, 네가 나를 존중해야 나도 너를 존중한다)이 발달하였다. 다섯째, 그러다 보니 과거에 함께 살며 당연히 채워졌던 공동체 의식, 공감, 인간 관계가 허술해졌다. 혼술, 혼공, 혼밥에 익숙하고, 외로움과 우울증이 증가하고, 부모의 통제와 억압으로 인한 정서 장애와 친구들의 왕따와 사이버 공간에서의 언어폭력이 증가하게 되었다.

지금의 MZ세대를 이해하기 위해서는 함께 사는 세대를 이해해야 한다. 현재 60대 이후의 할아버지 세대인 베이비붐세대는 살아남기 위해 가양비를 중요시 여기며, 바보처럼 일만 한 세대이다. 지금의 아버지 세대인 40대에서 50대의 486세대는 경제 성장과 함께 자유를 경험하고 자기 정체성이 확실하고 가성비를 중요시 여기나, 경쟁에 내몰려 일할 수밖에 없던 세대이다. 현재 2,30대의 MZ세대는 국민소득 2만불 이후 풍요로움을 경험했으나 현재 여러 가지를 포기해야만 하고, 마음에 들면 일을 저지르는 가심비를 중요시 하는 하마터면 일할 뻔 한 세대라고 할 수 있다. 지금의 아버지 어머니 세대인 486세대는 자유화, 세계화 세대, IT세대, 자존심이 강하고 뭐든지 해낼 수 있는 낙관적 세대이다. 이들의 유년기는 국민소득 천불 시작, 경제 성장률 10%의 고성장으로 풍요로움과 문화적 소비를 경험하고, 청년기 일류대와 출세에 대한 기대와 동구 사회주의 붕괴와 올림픽을 경험하며 세계화와 자유화를 추구하며, 컴퓨터가 보급되면서 창업과 게임 등의 생활을 일반화한 세대이다. 청년기에 들어서면서 IMF, 금융위기 등의 좌절을 경험하면서 낙관적 개인주의가 강하지만 사회 개혁의 혼란으로 트라우마를 겪은 세대이다. 특히 이들이 지금의 청소년기 학생들을 둔 학부모로서 자신들의 학창시절을 기억하며 경쟁에 뒤지지 않게 사교육에 극성을 부리고, 남들보다 뒤처지지 않고 성공을 위해 푸쉬하다 보니 아이들과의 갈등이 가장 심한 세대이다. 이에 비해 지금의 아이들 세대인 MZ세대는 오포 세대, 워라벨과 소확행의 욜로 세대이다. 국민소득 2만불 이상에서 태어나 어릴 때부터 독립된 자기 공간 속에서 각종 물질적 풍요로움을 누리고 게임과 여행 등에 자유로움을 경험했지만 부모들과 사회의 강한 요구로 청년기에 스펙 경쟁에 내몰려 최고의 실력을 갖추어야 하는 세대이다.

그러나 일류대 = 좋은 직장 = 행복한 삶이라는 공식이 무너지면서 일찌감치 부모가 생각하는 행복한 삶이 아니라 바로 지금의 행복을 위해 미래를 포기하고, 작게 벌어 행복하게 살아보겠다는 생각, 많은 것을 소유하고 저축하기보다 지금의 행복을 위해 소비하는 새로운 세대이다.

우리나라에서 자녀를 가진 가정이 행복한 곳은 거의 없어 보인다. 아이는 답답해하고 부모는 속상해한다. 부모들은 아이의 행복을 위해 이러지 말아야 할 것을 알면서도 포기할 수 없는 것은 포기하는 순간 아이의 미래가 없다고 생각하는 사회적 분위기 때문이다. 우리나라 학부모 문화가 내 자식만 뒤처지는 것을 인정할 수 없는 엄마 주도적, 정보 지향적, 사교육 지향적, 성적 지향적 문화이기 때문이다. 이러한 아이들이 올바른 어른이 되도록 다음과 같이 이끌어 주었으면 좋겠다. 첫째, 내재적 동기에 의한 자기 주도적 능력을 갖도록 했으면 좋겠다. 둘째, 막연하고 허황된 생각이 아니라 현실과 학습이 통합한 삶과 인생을 살게 했으면 좋겠다. 셋째, 부모로부터 독립하고 롤모델을 정하고 자율과 책임, 실패를 경험하는 성장의 기회를 활용할 수 있도록 도와주었으면 좋겠다. 넷째, 한 개인이 학교 졸업 후 30년간 11개의 직종에 종사한다고 하니 학력을 단절시키지 않고 평생 학습 태도를 갖도록 했으면 좋겠다. 끝으로 자기가 이 땅에 태어난 이유를 찾아 자신이 필요로 한 곳에서 사명을 다하도록 꿈을 꾸고 실천할 수 있도록 키웠으면 좋겠다.

우리나라 종교 현황, 신앙 전수

2022년 크리스천 투데이에서 조사한 한국인의 종교인 수를 보면 전체 인구 중 약 50%가 종교를 가지고 있는데, 개신교 20%, 불교 17%, 천주교 11% 순으로 나타났다.(같은 시기 한국 갤럽은 개신교 17%, 불교 16%, 천주교 6%, 무교 60%로 조사됨) 특히 남성보다 여성이 각 종교에서 2% 더 높게 나타나고, 50대 이상에서 4%가 높게 나타나며, 20대 이하에서 6%가 적게 나타나(개신교 14%, 불교 8%, 천주교 7%), 젊고 어릴수록 종교인이 줄어들고 있음을 알 수 있다. 이는 요새 아이들이 4,50대 부모들의 종교 활동을 이어 가는 비율이 2/3 밖에 안되거나 혹은 자신은 종교 활동을 안 하지만 부모의 종교를 자신의 종교로 표시한 경우가 아닐까 한다. 또 한 달에 1번 이상 종교 활동 참여에 대하여 개신교는 70%, 천주교는 44%, 불교는 30% 정도이고, 종교 활동이 삶에서 중요하다고 인식하는 경우가 개신교는 66%, 천주교는 55%, 불교는 33%로 나타나, 개신교인들이 나름대로 자신의 종교를 신앙으로 받아들여 삶에 적용하며 신앙 생활을 해보려고 노력하고 있음을 알 수 있다.

사실 어른이 되어 신앙을 갖기는 쉽지 않다. 왜냐하면 신앙은 자신의 믿음의 표현이기도 하지만 개개인 삶의 철학이고 문화이고 습관이기 때문이다. 그래서 신앙 생활하는 사람들을 보면 어려서 믿음의 가정에서 태어나 믿음을 생활 속에 습관으로 익혔거나, 어려서 친구 따라 교회를 다니며 그 문화를 당연하게 수용하고 생활하는 경우가 많고, 특히 어른이 되어 교회 다니는 경우는 자신의 특별한 경험(어려움을 당할 때 종교에 귀의하여 극복했거나 좋아졌던 경험)이 많다. 그런데 앞의 통계에서 보듯이 어리고 젊은 사람들의 신앙 생활이 점차 줄어들고 있다는 사실은 부모들이 자녀들에게 제대로 믿음을 전수해주지 못하거나 지금의 사회가 신앙 생활을 배척하거나 방해하기 때문이 아닐까 한다. 10여 년 전까지만 해도 한 교실에 교회 다니는 아이들이 적어도 5,6명이 있었는데 지금은 1,2명도 안되고 교회 다닌다고 표현하기 조차 두려워한다.

사람의 인생이 90년이라 할 때, 부모 밑에서 배우고 자라는데 30년, 부모로부터 독립해 생산 활동하며 자신을 펼치는 30년(40년), 그리고 여유를 가지고 편안히 쉬고 베푸는데 30년(20년)으로 구분할 수 있다. 어려서의 좋은 습관이 평생을 가고, 어려서 첫 단추를 잘 끼워야 시행 착오를 겪지 않는다. 나는 그 좋은 습관과 첫 단추를 예수님 믿는 거라 생각한다. 부모는 어린 자녀들에게 지식을 심어주고 성공을 가르치지만 30세가 넘어 스스로 자신을 긍정적으로 보고 선한 일을 도모하는 동력은 지식과 성공이 아니라 바른 습관, 믿음이라고 생각한다. 믿음이 있는 사람은 예수님을 자신의 인생에 주인으로 모시고, 때마다 하나님의 부르심을 응답하여 주어진 사명을 수행하고, 타인과 이웃을 돌볼 줄 아는 사람들이다. 세상을 바꾼 사람들은 똑똑하고 성공한 사람들이 아니라 사명감을 갖고 이웃을 돌아볼 줄 아는 사람들이었다. 또 어려서 이런 저런 목표를 놓고 열심히 노력하여 30대에 삶의 방향을 잡아 세상을 이끌고 누리며 살았으면 좋은데 그 방향을 잡지 못해 나이 60이 되도록 그것을 찾아 헤매는 인생이 너무 많다. 어려서 신앙 생활의 첫 단추를 잘 끼운 사람은 일찌감치 하나님 안에서 삶의 방향을 정하여 주님의 청지기의 삶을 살면서 하나님께는 영광이요, 자신에게는 기쁨과 보람이요, 타인에게는 평화와 행복을 누리는 삶을 살게 된다. 그래서 부모가 자식에게 물려줄 최고의 재산은 하나님을 경외하는 것과 믿음의 삶을 보여주는 것이다. 그러면 아이는 자라면서 부모의 개입이 아니라 하나님의 손길로 인도를 받고 스스로 하나님의 부르심에 순종하는 어른이 될 것이다.

어른의 조건, 좋은 어른

에릭슨은 인간의 발달 단계를 영아기(1세, 신뢰감과 불신감의 형성), 유아기(3세, 자율성과 수치감의 형성), 학령전기(6세, 주도성과 죄책감의 형성), 학령기(12세, 근면성과 열등감의 형성), 청소년기(18세, 자아정체감과 역할 혼돈의 형성), 장년기(40세, 친밀감과 고립감의 형성), 중년기(60세, 생산성과 침체성의 형성), 노년기(60세 이상, 자아통합감과 절망감의 형성)로 나누었다. 인간은 시기마다 신체적 발달과 노화, 정서의 형성과 쇠퇴 등의 과정을 겪는다고 하였다. 즉 때가 되면 때에 맞는 행동을 해야 한다는 말이다. 그런데 요새는 이러한 발달 단계가 잘 맞지 않는 경향이 있다. 즉 일찌감치 청소년기의 정서를 보이기도 하고, 나이가 들어도 영유아기의 정서를 나타내기도 한다. 때가 되면 어른이 되어야 하는데 아직 어른이 못된 사람들이 많다. 어른이 못 된 상황에서 부모가 되어야 하니 자녀 양육에 이리 저리 흔들리며 실수할 수밖에 없기도 하다.

어른은 成人이라고도 하는데 신체적으로 정서적으로 다 자라 인격과 교양을 갖추고, 자기 일에 책임을 질 수 있는 사람을 말한다. 옛날에는 혼례를 치루어 남자는 상투를 올리고 여자는 비녀를 꽂는 것으로 성인이라고 하였다. 즉 관례를 통해 아이가 아니라 어른이 되었으니 어른으로 인정해주기 바라는 공표였고, 이것이 오늘날도 19세가 되면 성년의 날로 이어져 왔다. 어른이란 가정을 꾸미고 딸린 식구를 책임지며, 혼자서 사냥이나 농사일을 지으며 용감하게 힘 쓸 수 있는 나이가 되었음을 말했다. 그러나 지금은 성년이라는 19세는 아직 사회적으로나 경제적으로 독립하지 못하고 부모 도움에 살아가고 결혼은 꿈도 못 꾸는 나이이다. 사회 구조상 직장을 갖고 가정을 갖는 30대에서야 비로소 어른이 된다고 할 수 있겠다. 그러나 요새는 그 나이에 안정된 직장 갖기도 힘들지만 더욱이 결혼하기는 더욱 힘들다. 직장 생활하는 30대 여성들의 결혼 포기 이유가 자기 수준에 맞는 좋은 남자가 없기도 하지만 중요한 것은 자신의 어린 시절이 행복하지 못하여 결혼해 자식을 낳으면 불행이 되물림 될 거라는 이유란다. 여성이 결혼을 포기하니 결혼하고 싶은 남자들이 결혼을 못 하고 있고, 이것이 일인가구 증가, 출산율 저하, 고령사회 진입 등의 악순환이 확산되고 있다. 그러다 보니 직장과 결혼을 갖춘 나이로서의 어른보다 태도와 행동이 어른스러워야 하는 진정한 어른의 조건을 갖추기란 더욱 힘들어졌다. 진정한 어른의 조건은 자신의 정체성을 바로 알고, 참고 겁내고 눈치 볼 줄 알며, 자신의 자리에서 책임질 줄 알고, 이로 인해 후세에 모범이 되는 것이라고 생각이 든다.

그래서 어른의 조건으로 첫째는 자아 정체감과 자아 존중감을 들 수 있다. 즉 자기가 이 땅에 왜 태어났고 무엇을 해야 하는지를 알아 자신의 역할과 하는 일에 목적을 갖고 자신감있게 사는 것이다. 요새는 어릴 때부터 미래를 위해 열심히 공부만 했지 어른되기를 배우지 못해 나이가 들어도 자기가 누구인지 모르고 여전히 미래를 위해 준비만 하거나, 어른이 갖추어야 할 환경을 만들지 못하는 사람들이 많다. 신앙 생활을 하는 사람으로서 자아 정체감으로써 기독교 세계관을 바탕으로 하나님을 경외하고 그 안에서 즐거이 행할 줄 아는 태도를 갖는다면 인생의 목적과 사명을 가지고 어른스럽게 행동할 수 있을 것이다. 둘째는 참고 겁내고 눈치 보는 바른 인간 관계를 들 수 있다. 철이 없던 시절에는 자기 마음대로 행동했지만 어른이 되어 타인을 의식하고 배려하는 등 인간 관계에서 성숙한 행동을 해야 한다. 이러한 관계 중심의 태도는 사회화 과정을 통해 배우게 되는데 요새는 어려서부터 부모의 간섭 속에 자기 중심적 사고에 익숙해져 관계를 잘 못하는 사람들이 많다. 신앙 생활을 하는 사람으로서 십자가의 의미인 하나님과의 관계와 이웃과의 관계를 믿음 안에서 배우고 실천한다면 타인을 배려하고 섬기는 좋은 관계를 맺는 어른이 될 수 있을 것이다. 셋째는 자신이 하는 일에 대한 책임감을 들 수 있다. 책임이란 맡겨진 상황과 업무를 끝까지 해결하는 자세로서 성실함, 약속, 사명감, 신뢰감 등을 포함하는 말이다. 반대어인 무책임을 생각하면 이해가 더 잘될 것이다. 신앙 생활을 하는 사람으로서 하나님을 두려워하여 남이 보거나 말거나 자신과 사람들에게 떳떳할 수 있는 마음 가짐을 갖는다면 책임감있는 바른 어른이 될 수 있을 것이다. 넷째는 그래서 어른은 자신이 먼저 걸어 온 길을 통해 다음 세대에 이정표가 되어야 한다. 아프리카에서 한 노인이 죽으면 도서관 하나가 없어진다고 말한다. 어른의 경륜이 후세를 이끌어 주는 축적된 지혜가 되기 때문이다. 이러한 조건을 갖춘 어른이라면 자녀를 키울 자격이 있는 부모가 될 수 있겠는데, 그러나 부모가 되어야 어른의 조건을 갖출 수 있기에 우리 인생의 아이러니라는 생각이 든다. 신앙 생활을 하는 사람으로서 예수님을 닮으려고 애쓰는 삶을 살아간다면 우리 아이들 또한 그 삶을 따라 배우며 좋은 어른이 될 것이다.

어른의 역할, 일상의 삶

우리는 나이가 들면서 어쩌다 어른이 되었고, 배워보지도 못한 부모 역할에 실수와 수고뿐이다. 먼저 살아본 어른으로 현실을 바로 보고, 좋은 어른이 되어 바른 부모의 역할이 무엇인지를 기독교 세계관의 가치와 바른 리더십 등으로 전해 보려고 하지만 매일 반복되는 삶의 바탕인 일상이 주는 중요성을 통해 제시하고 싶다. 어른이란 자기 관리를 잘하고 타인을 지지하고 배려하는 사람이고, 자신의 일에 책임을 지고 성과를 내는 사람이라고 할 수 있다. 그러기 위해 좋은 가치관을 갖고 흔들리지 말아야 하는데 나에게 있어 꼭 전하고 싶은 것이 기독교 세계관이다. 죄로 인해 무너진 영적 세계와 타락으로 망가진 자연의 질서를 다시 회복하라는 하나님의 명령에 순종하여 부르심에 응답하며 살아가기를 권하고 싶다. 특히 만유에 하나님이 주인이시고 세상 모든 것에 하나님이 계시기에 하나님을 믿고 구원을 얻어야 할 것을 전하고 싶다. 그래서 하늘의 천국을 소망하지만 땅을 딛고 사는 우리에게 현실을 바로 보고, 내게 주어진 자녀들이 하나님을 경외하는 믿음의 다음 세대로 키우고 세상을 변화시킬 리더로 키우는 것에 대한 이야기를 나누고자 한다.

어른이라는 것, 부모라는 것이 별거 있나. 우리의 인생이라는 것이 나이가 들지만 함께했던 사람들과 함께 늙어 가니 나이 드는지도 모르고, 과거의 아름다운 추억을 먹고 살면서 현재의 행복을 찾고, 앞으로의 삶을 기대하는 일상의 삶이 아닌가 싶다. 모두가 일평생 똑같은 시간과 공간 속에 살지만 영적인 존재인 인간이기에 영에 민감하여 그를 뿌리 삼아 성품과 인성이 드러나 주변 사람들에게 영향을 미치며 함께 살아가며 남겨진 발자취가 인생이라는 생각이다. 그러기에 위대한 선조들의 보석같은 언행이나 말씀에 그분을 존경하는 것처럼 또 내가 그런 선조가 되어 후세에게 남겨지기를 바라는 마음이 어른의 마음이고 부모의 마음일 것이다. 나를 남이 어떻게 평가할 것인가는 나중 문제라 하더라도 지금 나로 인해 영향을 받을 사람들, 특히 자녀들에게 보다 좋은 관계로 선한 영향을 주는 어른으로서의 부모가 되어야 할 것이다. 빈 손으로 태어나 부모의 손에 양육받고 사람들 사이에 부대껴 살다가 나도 모르게 어른이 되어 내가 낳은 자식을 키우고 세상에서 이런 저런 일을 하며 살다보니 벌써 8, 90년의 시간이 흐른다. 빈 손으로 돌아가는 인생이기에, 그런 중에 발자취를 남기어 다음 세대에게 잘못된 길을 걷지 않고 바른 이정표를 찍어 준다면 그나마 좋은 일이 아닐까 싶다. 우주에서 보면 티끌만치도 못한 우리네 인생에 어려서 딱지치기와 땅따먹기를 하며 아옹 다옹 다투고 작은 것을 움켜쥐려고 욕심부리던 하잘것없는 인생이었다는 것을 생각한다면 보다 너그럽게 베풀고 나누고 사랑하고 아우르는 것이 어른의 역할이고 부모의 역할이라고 생각하게 된다.

성경 전도서의 저자 솔로몬은 '한 세대가 가고 다른 세대가 오지만 땅은 영원히 변하지 않으니, 사람이 해 아래서 일하는 모든 수고가 무슨 유익이 있는가? 세상 만사 말로 다 할 수 없이 피곤하니 눈은 보고 또 보아도 만족하지 않고 귀는 듣고 또 들어도 채워지지 않는다. 이미 있던 것들이 다시 생기고 사람들은 전에 했던 일들을 다시 하니 해 아래 새로운 것이 없도다.(전1:3-9)' 라고 하여 인생의 헛됨을 노래하였다. 그러나 그는 '내가 관찰해 보니 하나님께서 주신 자신의 생애 동안 먹고 마시며 자신이 하는 일에서 보람을 느끼는 것이 인생의 몫이니 적절하고 그것이 행복이다. 하나님께서 재산과 부를 주시고 또 그것들을 누리게 해 주실 때 자기 몫을 받아서 자기 하는 일에 즐거워하는 것이 바로 하나님의 선물이다. 사람은 자기 삶을 심각하게 생각할 겨를이 없는데 이는 하나님께서 그의 인생이 즐거움에 빠지도록 만드셨기 때문이다(전5:18-20)'고 하여 그 수고를 격려하고 즐겁게 사는 것이 인생이라고 하였다. 모든 것이 하나님의 선물이기에 선물을 받아 일상의 삶에서 행복하게 살면서 남들에게 나누어줄 줄 아는 어른, 자녀에게 행복을 경험케 하는 부모가 되어야겠다.

Chapter 2

믿음의 부모가 꼭 해야할 일

오늘날 우리나라에서 부모로 살아간다는 것이 얼마나 힘든지 포기하고 싶을 때가 많다. 그러나 자녀를 낳았으니 스스로 먹고 살 때까지 책임지고 키워야하니 포기할 수도 없는 노릇이다. 나는 자녀를 평범하게 키우고자 원하지만 우리나라 분위기가 그렇게 놔두질 않기에 자녀 키우기가 너무 힘에 부친다. 이제 우리나라 현실을 알고 좋은 어른의 조건을 생각해 보았으니 주어진 상황에서 나름대로 자녀 키우기에 좋은 부모의 역할을 찾아보았으면 좋겠다. 우선 사회 분위기가 아이를 가만두지 않지만 부모부터 욕심을 내려놓고 하나님께 맡기는 믿음을 갖고, 특히 대부분의 학부모들이 자녀 교육에서 간과한 영역에 대해 제시함으로 자녀들이 진정한 어른의 조건을 갖춘 성인이 되도록 믿음의 부모가 해야 할 일을 찾아보고자 한다.

먼저 할 일, 내려놓기

우리나라 부모의 자녀교육의 문제는 특별한 관심과 간섭이다. 내 자식이 잘 되기를 바라는 마음이야 어떤 부모라도 당연하지만 그 방법에 있어 걱정과 욕심과 대리 만족을 자식에게 투사하여 좋은 의미의 관심이 지나친 간섭으로 비추게 되었다. 90세 된 노인이 70세 자식에게 길조심, 차조심하라는 말처럼 부모는 나이가 들어도 자식 걱정일 수도 있지만 요새 젊은 부모들은 자식에 대한 걱정보다 욕심이 앞서 선행 학습과 맞춤형 학습을 통해 나이에 맞지 않는 생각과 행동을 요구하고 있다. 아이의 성장에 부모가 맨 처음 해야 할 일이 욕심을 내려놓고 하나님께 맡기는 것이 아닐까 한다. 처음에는 자신을 내려놓는 연습을, 이후에는 자식에 대해 내려놓는 연습을 해야 한다.

먼저 자신을 내려놓기 위해 그리스도 안에서 내 자아를 죽이면 된다. 자아를 죽이면 하나님으로 채워지기 때문이다. 우리가 내려놓지 못하는 이유는 자신에 대해 집착하고 자기애를 갖고 있기 때문이다. 하나님께서 우리에게 순종을 원하시는 이유는 우리를 자유케 하기 위해서이다. 우리 자아가 십자가에서 죽어야지 성령님이 역사하여 부활할 수 있다. 철저히 준비된 능력을 의지하면 약간 만족하지만 나의 약함 가운데 일하실 하나님을 바라고 나아가면 전혀 새로운 것을 보고 누리게 된다. 자아 숭상, 자아 실현을 강조하는 사람들 속에는 자기애가 숨겨져 있다. 우리가 받은 많은 상처는 자신의 자아 문제, 자신에 대한 집착, 자기 보호의 본능에 기인한다. 자기애의 사람은 하나님의 일을 한다고 걸림이 되는 존재를 모두 적으로 규정하고 정죄하는 영적 교만을 가지고 있다. 또 세상이 나를 어떻게 보는가에 집착해 나에 대한 주변의 평가에 급급하여 비교하고 경쟁하며 분노를 나타낸다. 탕자의 비유에서 큰 아들은 동생의 과오를 정죄하고 비판하고, 아버지의 불공평에 대해 불평하고, 자신의 봉사의 댓가를 요구한다. 성경에서 최초의 살인자 가인, 한 달란트 받은 종, 먼저 온 포도원 품꾼들, 어린 시절부터 교회 섬긴 사람들, 이들은 자신은 의로운데 하나님이 자신을 차별한다고 불평한 사람들이다. 우리의 뜻과 하나님의 뜻은 다르다. 나의 의에 의한 계획이 틀어지는 것을 감사하는 이유는 그 과정을 통해 하나님의 계획이 이루어지기 때문이다. 하나님은 지혜가 부족한 우리의 방식대로 움직이지 않으신다. 위기와 고난이야말로 하나님이 우리에게 가장 강력하게 말씀하시는 순간이다. 또한 내가 하나님을 위해 사역을 감당해 드린다고 착각하지 말아야 한다. 하나님은 내 도움이 필요 없으시지만 서툰 나를 하나님의 계획 가운데 끼워주시고 함께 일하고 싶어 하신다.

또 자식 사랑과 욕심을 내려놓기 위해서 자식이 하나님을 만나고 그 안에서 인격적으로 성장하도록 이끌어 주면 된다. 요새 핵가족 시대에 자식들이 가정의 최고 자리에서 최고의 대우를 받으며 자라다 보니, 너무 귀하게 대접받고, 자기 중심적이고 이기적으로 클 수밖에 없다. 재벌 2세의 자식들이 할아버지와 아버지를 믿고 자기 마음대로 사는 모습에서 잘 나타난다. 자식에 대한 지나친 사랑과 자식을 통해 대리 만족을 얻으려는 욕심을 내려놓아야 한다. 자신이 갖고 있는 틀, 자신의 고집스런 방식, 자신의 계획, 자식에 대한 욕심과 기대를 깨버리고 주님의 것으로 채워 보자. 요셉의 비전은 자기가 원하거나 노력한 것이 아니었고 그저 하나님께서 요셉을 이끌어 가셨던 것이다. 하나님이 주시는 비전은 무엇이 되는데 있지 않고 어떤 모습으로 살아 가는냐에 있다. 내가 계획 없이 산다는 것은 나의 자아를 확대시키기 위한 계획을 내려놓고 주님이 일하시도록 내 삶의 결정권을 내어드리는 것이다. 내가 자식을 내려놓은 것은 자식의 삶을 하나님께 맡기는 것이다. 하나님이 바라시는 것은 내 인생의 성공, 내 자식의 성공이 아니라 나와 자식의 삶의 과정에서 하나님을 발견하고, 성숙해지는 것이다. 사도 바울은 욕심 많은 우리에게 '아무 일에든지 다툼이나 허영으로 하지 말고 오직 겸손한 마음으로 각각 자기보다 남을 낫게 여기고 각각 자기 일을 돌볼뿐더러 또한 각각 다른 사람들의 일을 돌보아 나의 기쁨을 충만하게 하라'고 말씀하셨다.

일관성 있게 할 일, 지지하기

요새는 어른 같은 아이가 많다. 아이들이 아이답지 않고 어른처럼 행동한다고 부모들이 무척 좋아한다. 그런데 막상 어른이 되었는데 아이 같은 어른이 되어 버린다. 부모들이 성장 과정을 책임지다 보니 어른이 될 틈이 없었다. 과거에 부모들은 대가족 제도에서 어른들의 가훈과 가풍 속에 왜 사는지에 대한 질문과 답을 나누는 철학적 가르침이 있었는데, 이제 핵가족화 되면서 어떻게 하면 잘 사는지에 대한 공학(과학)만 발달하게 되었다. 즉 철학이 약하고 세속화되다보니 문제해결을 위한 공학과 이를 위한 실용주의가 발달할 수밖에 없다. 아이들을 균형있게 양육하기 위한 방법을 성경의 좋은 밭 비유 말씀을 통해 우리 부모들의 역할을 살펴 보고자 한다.

밭은 부모, 목사, 교사 등 어른의 역할을 말한다. 씨는 우리 아이를 말한다. 씨가 뿌려져 좋은 열매를 맺거나 못 맺는 것은 어른들의 책임이다. 4개의 밭을 그래프로 표현하면 X축(하나님의 공의)을 '허용과 통제'축으로, Y축(하나님의 사랑)을'지지와 비지지'의 축으로 봤을 때, 허용 - 지지면은 가시밭(허용형), 허용 - 비지지면은 길가(방임형), 통제 - 지지면은 좋은밭(지혜형), 통제 - 비지지면은 돌밭(통제형)으로 표현할 수 있다. 길가(방임형)는 방임으로 아이와 소통이 없는 부모이다. 그래서 새가 쪼아 먹듯이 아이들이 예의 없고 생각 없고 자기가 없이 분노와 우울을 갖게 된다. 돌밭(통제형)은 아이가 뿌리를 내리기 전에 미리 다 해주는 부모이다. 부모의 욕망과 걱정으로 아이가 행동하기 전에 스케줄과 틀을 짜서 사전에 다 해주다 보니 아이 스스로 결정을 못하고 학습 동기와 의지가 없어 학습된 무기력으로 아무리 많이 배워도 그 활용도는 5%에 그친다. 우리나라 부모와 교사의 대부분이 이에 속한다. 가시밭(허용형)은 좋은 부모가 되려는 잘못된 생각과 미안한 마음에 아이들을 상전으로 모시고 뭐든지 다 해주는 부모이다. 아이들이 브레이크 없이 달리는 자동차가 되어 통제력을 갖지 못하거나 좋은 결과만 기대해 도전 의식이 없다. 좋은밭(지혜형)은 하나님의 인격으로 행하는 부모이다. 즉 무서운 것 같으면서 다가가고 싶은 부모가 되는 것이다. 이런 부모는 절체절명의 규칙(기독교 세계관과 가치관)으로 통제하며 일관성 있게 지도하고, 사랑과 지지로 인격적 존중을 느끼게 하며, 스스로 결정하고 실패할 수 있는 기회를 제공해 준다.

아이들이 성장해 가는데 우리 어른들이 해야 할 일이 참 많다. 성경에도 자녀는 부모의 면류관이라 하여 자식이 잘되면 부모가 돋보이기도 하지만 부모가 자신의 면류관을 얻기 위해 자식을 이용하지는 말아야겠다. 요새 나는 나이가 들어 자식들이 직장을 갖고 결혼해 독립한 것에 친구들에게서 부럽다는 말을 듣곤 한다. 자기는 아직도 자식들이 제대로 된 직장 생활을 못하고 결혼도 안하려고 한다는 이유이다. 그럴 때마다 나는 자녀들이 직장 갖고 결혼한 것보다 어른이 되어 스스로 믿음 생활을 하며 가정과 교회에서 믿음의 제사장 역할을 잘하고 있는 것을 자랑하고 싶다. 나이 든 자식들에게 교회 좀 다녔으면 좋겠다고 감히 말할 수 없는 현실에서 자녀들 스스로가 신앙 생활을 잘해주니 고맙기만 하다. 아이들이 어렸을 때 공부하는 이유와 피아노를 배워야 하는 이유, 운동을 열심히 해 건강해야 하는 이유, 주일에 교회에서 예배드리고 친구들과 어울리며 봉사해야 하는 이유 등을 하나님의 영광을 위해서 하라면서 행동으로 가르친 열매가 아닌가 한다. 매일 저녁마다 기도회를 갖고, 주일에 교회생활을 우선으로 하고, 부모가 가정과 교회에서 하나님을 우선으로 섬기며 주도적인 역할을 한 것이 아이들에게 심겨진 믿음의 열매였다는 생각이 든다. 어른들이 좋은 밭이 되어 자식들로 하여금 30배, 60배, 100배의 열매를 거두도록 아이들을 지지해주는 지혜로운 부모가 되어야겠다.

키워야 할 일, 회복 탄력성과 행복

최근 긍정심리학자들은 그동안 인간의 본성 중 부정적인 것에 집중했던 연구를 반대로 긍정적인 것을 찾으면서 행복한 사람을 연구하게 되었다. 행복한 사람이란 기분 좋은 느낌을 자주 갖거나 지속적으로 갖는 사람을 말한다. 그 형태는 개인, 가정, 학교나 직장에서 다르게 나타나는데 부정적 감정인 화, 낙담, 불만, 짜증 등과 대비해 감사, 용서, 양보 등으로 기분 좋은 감정을 표현한다. 그래서 행복한 사람은 생산성이 높고(공부를 잘하고), 낙관적 판단(역경 극복력이 강함)을 잘하고, 인내심과 희망이 있으며, 주변 사람들을 행복하게 하거나 협동과 신뢰감을 주며, 신체적으로도 항체 형성이 빠르다는 특징을 연구 발표하였다.

회복 탄력성이란 실패했을 때 좌절하지 않고 다시 일어설 수 있는 능력을 말한다. 그래서 회복 탄력성이 낮으면 학습된 무기력이 오기 쉽다. 회복 탄력성이란 자신에게 닥친 역경과 고난에 대해 고정관념에 사로잡히지 않고 긍정적으로 새로운 의미를 부여해서 오히려 기회로 바꾸는 능력이다. 그래서 필요할 때면 언제나 긍정적인 감정을 스스로 불러일으켜서 신나고 재미있게 일할 수 있다. 사람들이 자기가 해결할 수 없는 힘든 일을 접하게 되면 걱정과 염려가 앞서고 그 일에만 몰두하여 더 깊은 나락에 빠지는 경우가 많은데 이때 이를 이길 수 있는 힘이 회복 탄력성이고, 회복 탄력성이 강하려면 정신력이 강해야 하고, 정신력이 강하려면 자신을 지켜줄 강한 힘이 있다는 것을 믿고 의지해야 한다. 어려움을 극복할 때마다 하나님의 함께하심을 경험한 사람들은 모든 상황에 긍정적이고 자신감을 갖는다. 하나님이 모든 것에 합력하여 선을 이루신다는 말씀을 믿고 그를 경험한 사람들은 회복 탄력성이 높다고 하겠다. 회복 탄력성을 높이기 위한 방법으로 감사하기와 운동하기를 습관적으로 하면 좋다고 한다. 감사하기는 정신적 건강을, 운동하기는 육체적 건강을 유지시키기 때문이다.

행복은 지속적인 연습으로 습관화되고 학습된 결과로서 자전거 타는 것과 같다고 한다. 그래서 잠깐 잊었어도 곧바로 회복할 수 있는데, 이를 위해서 삶의 목표를 행복으로 삼고, 행복 역량을 키워야 한다고 가르치고 있다. 부탄이라는 나라가 세계적으로 행복한 나라가 될 수 있었던 것은 국민 전체가 경제 발전을 목표로 삼기보다 행복을 목표 삼기 때문으로, 성공한 사람이 행복한 것이 아니라 행복한 사람이 성공한다는 것을 말해주고 있다. 역량이란 세상을 사는 힘으로서 행복 역량은 배움을 통해 형성되어 가는데, 즉 감사할 줄 아는 것과 용서하는 것을 배우며, 좋은 인간 관계를 경험하고, 관점을 바꾸고 비교하지 않고 꿈과 목표를 가지며 몰입을 잘하고 나누고 베푸는 것을 자주 하게 되면 습관처럼 그 일을 하게 된다는 것이다. 행복의 조건으로 미국 하와이의 최악의 빈민층에서 관료와 전문가가 많이 나왔다는 연구 결과가 발표되었는데, 회복 탄력성(Resilience, 7전8기 정신, 행복 역량의 핵심)이 강하기 때문이라고 한다. 행복의 조건을 연구하기 위해 하바드대 출신 300여명과 주변 서민층 600여명을 70년간 추적 연구한 결과, 좋은 대학 나왔다고 더 행복한 증거가 없으며(부, 성공, 명예가 아님), 오히려 어려운 상황에 더 부정적(이들 중 일부가 2차 대전에 참전해 부상자가 되어 자살한 자가 많았음)이었다고 한다.

쉘리그만이라는 사람은 행복을 PERMA로 정리하였다. Positivity (긍정성, 적극성 - 긍정적인 생각과 마인드), Engagement(참여, 몰입 - 긍정적인 일에 빠짐), Relationship(좋은 관계 - 죽마고우가 아닌 40대 이후 사귄 진짜 친구와의 즐거움), Meaning(긍정적 의미 - 삶에 의미 부여하기), Achievement(자아실현 - 작은 일에 주변에서 잘하고 인정받는 것)이다. 어려서 행복을 체험한 사람이 커서도 행복을 느낄 줄 안다. 요새 부와 출세를 향해 달려가다가 모두를 얻은 후 행복을 잃은 경우가 많은데, 우리 아이들에게 행복을 얻게 되면 부와 출세가 덤으로 따라온다는 것을 경험케 하였으면 좋겠다.

길러주어야 할 일, 야성

교회에서 한참 기독대안학교 설립에 대한 논의를 가지면서 참여하겠다는 부모들의 이유를 들어 보았다. 첫째는 어려서부터 하나님에 대한 믿음을 제대로 심어 습관적으로 잘 섬기도록 하는 것이고, 둘째는 부모로서 일반학교의 경쟁 체제를 뒷받침할 자신이 없고, 특히 아이들이 왕따 당하고 학폭에 연류되는 등 곧 닥칠 어려움에서 보호하고자 한다고 하였다. 이에 어떤 믿음 좋은 부모는 대안학교의 온실에서 믿음을 키우기 보다 일반학교에서 생기는 어려운 일들을 믿음으로 대처할 수 있는 야성을 키워야 한다고 참여를 거부한다고 하였다. 어떤 것이 맞는지는 모르겠다. 어려서부터 올바른 신앙 습관과 하나님으로부터의 사명을 깨닫고 세상을 변혁시키는 목표로 대안 교육을 선택해야 할지, 어려서부터 세상의 가치와 싸워가며 세상을 이겨내며 키워진 야성으로 세상을 바꾸어갈지. 그러나 최근 약해지기만 하는 아이들에게 세상을 바꿀만한 야성이 부족한 것은 사실이다. 미국이 인디언을 보호하기 위해 인디언들에게 모든 생활 환경과 기본

소득을 제공하여 힘든 노동으로부터 해방시켰더니 대부분 술과 마약에 빠지게 되었다고 한다. 그리스 아테네에서는 노예를 통해 시민들이 노동에서 해방되자 낮에는 정치를 밤에는 문화를 즐기면서 문화를 발전시켰다. 미래에는 인공지능과 로봇으로 노동에서 해방될 텐데, 과연 인간들이 마약에 빠질지 혹은 생산적인 또 다른 문화를 만들어낼지 궁금하다.

요새 우리 아이들은 어른들이 열심히 챙겨주다 보니 무기력해지는 것이 안타깝다. 어른들은 말을 잘 듣고 공부 잘하고 성실한 아이들이 나중에 성공할 거라고 막연히 기대하지만 세상은 결코 만만치 않다. 그렇게 잘 자란 우리나라 아이들이 미국의 아이비리그 대학에 많이 진학했는데 중도탈락자 1위 국가가 되었다고 한다. 시키는 것은 잘하는데 스스로 할 줄 모르기 때문이라고 한다. 독일의 놀이터는 자연 그대로 설비되어 약간 위험해 아이들이 다치기도 하지만 우리나라 놀이터는 안전 제일로 설치되어 있고 부모들까지 지켜보고 있어 다치질 않는다. 그러다 보니 보호받지 못하는 곳으로 가게 되면 대형 사고를 치는 경우가 많다. 아이들이 어른들의 보호와 간섭 속에 안전하고 모범적으로 크면서 내면의 힘인 야성이 죽고 말았다. 우리 아이들은 모두 야성을 타고 났지만 어른들에 의해 길들면서 뒷심을 잃게 되었다. 인간의 뇌 발달 단계는 처음 뇌간과 소뇌인 파충류의 생명뇌가 발달한 후, 대뇌 변연계인 포유류의 감정뇌가 발달하고, 마지막으로 대뇌피질인 영장류의 이성뇌가 발달하게 된다고 한다. 그런데 우리나라 아이들은 아기 때부터 이성뇌를 강요당해 비정상으로 성장하면서 많은 이탈과 장애가 생겨났고, 또 아이들이 성장해 가면서 어른들에게 계속 평가받고 시시비비가 가려지다보니 숨을 못 쉬게 되었다. 특히 최근 학교폭력이 법제화되면서 싸움은 아이들이 저지르고 해결은 부모가 해주는 것을 보면서 과거 싸우고 화해하며 세상을 배워가던 시절이 그립기도 하다. 화해하는 태도나 갈등을 해결하는 방법을 제대로 배우지 못하여 앞으로 이들이 어른이 되어 하나님의 법이 아닌 세상의 법으로 사회를 보게 될 것이 걱정스럽다. 계속적인 경쟁 속에 상대를 품어주는 마음보다 남을 이기려는 마음이 앞서기에 산다는 것 자체가 스트레스가 될 것이다.

자라나는 아이들에게 학교와 사회는 아이들이 다양한 시행착오를 경험할 수 있는 곳이어야 한다. 어른들은 아이들의 발달단계에 맞는 자극을 주고, 실패를 경험케 하고, 갈등을 통해 상처를 극복하고, 잠재력을 끄집어 내주는 역할을 해야 한다. 아이들이 조금 힘들어하고 보기에 안쓰러워도 기다리면서 스스로 자신의 삶에 대한 이유와 의미를 찾도록 도와주고, 살아가는데 꼭 필요한 내면의 힘, 야성을 키워주어야 한다.

가르쳐야 할 일, 실패

우리나라 초등학교에서는 가위와 칼, 망치 등을 사용하지 않는다고 한다. 어린 나이에 위험한 물건을 잘못 사용하다 다치면 학부모들의 원성을 듣기 때문이라고 한다. 아이들의 발달 단계에서 꼭 해봐야할 것들도 위험 때문에 모두 다 제거하여 안전위주로 키우다 보니 다치지 않아서 좋지만 해야 할 일을 해보지 못하여 어른이 되어 할려니 어떻게 하는 줄을 모르고, 실수도 많아지고, 더 크게 다치는 경우가 많다. 어려서 다치면 아프기는 하지만 실수와 실패에 대한 내성이 생겨 더 지혜롭게 대처할 수 있을 텐데 그런 경험이 적어 모든 것이 조심스럽고 작은 실수와 실패에도 곧 좌절하게 된다. 그렇게 조심스럽게 큰 아이들이 어른이 되면 도전적이고 힘든 일을 회피하고, 상사와 동료의 말 한마디에 상처를 입고, 작은 실수와 실패에 목숨을 버리는 경우를 자주 보게 된다. 아이들에게 어려서부터 실패를 경험하도록 기회를 주고 기다려 주어야 한다. 창조 경제를 외치며 나라의 발전을 고민하던 한 학자가 이스라엘의 어려운 조건과 상황에서 성공적이고 혁신적인 기업이 등장할 수 있는 비결에 대해 이스라엘 교수에게 묻자 세 가지로 답변하였다고 한다. 첫째 너무도 당연한 것들을 실천했다. 둘째 학생들이 스스로 문제를 발견하게 하고 틀에 박힌 관례나 관습을 믿지 않도록 했다. 셋째 최대한 빨리 실패하도록 도와주었다고 한다.

왜 실패이냐? 이스라엘 경험에 따르면 아무리 완벽하게 준비한 사업이라도 90%이상이 실패하고, 실패한 창업자에게 또 한 번의 기회를 주면 그중 50%가 성공하고, 두 번 실패한 사람에게 세 번째 기회를 주면 거의 대부분 성공한다고 한다. 즉 세 번 망해야 산다는 말이다. 창조란 새로운 것을 만들어내는 행동이다. 새로운 것이기에 정답이 없다. 정답이 없으니 관례나 관습은 별로 도움이 되지 않는다. 장인은 알고 있는 지식을 기반으로 혁신을 시도하지만 초보자는 아직 모든 것을 알지 못하기 때문에 진정한 창조를 해낼 수 없다. 창조적 혁신은 자전거를 타는 것과 비슷하다. 아무리 많은 교과서를 읽어도, 자전거 타기의 모든 기술을 이해해도, 타보지 않으면 절대 배울 수 없다. 실리콘밸리의 성공과 이스라엘의 성공을 100번 관찰해도 나 자신이 100번 넘어지고 다치기 전에는 절대 배울 수 없다. 나이 많은 어른이 넘어지기란 쉽지 않다. 넘어지면 얼마나 아픈지 잘 알고 있기 때문이다. 창조적 혁신을 위한 가장 중요한 방법은 미래를 짊어질 아이들에게 최대한 빨리 최대한 저렴하게 실패하고 넘어지는 방법을 가르쳐 주는 것이다. 성공적인 실패야말로 성공의 어머니이기 때문이다.

우리나라 정치, 경제의 거목인 김영삼 대통령과 정주영 회장이 "자네, 해봤어?"라고 물었던 것은 실패해도 도전할 줄 알았던 실천 정신과 노력이 있었고 이로 말미암아 우리나라가 성장할 수 있었다. 우리 세대는 어려서 많은 자녀들을 돌볼 수 없는 부모의 무관심으로 많은 실패와 시행착오를 경험하며 컸는데, 오늘날 한두 자녀만 낳아 남부럽지 않게 잘 키우고 싶은 부모의 욕심과 지나친 관심으로 안전하게 크는 모습이 오히려 해가 되고 있다. 즉 자녀들이 넘어지고 스스로 일어나는 기회를 만들어 주지 못하고 있다. 그런 의미에서 자녀의 실패로 인한 고통과 아픔을 최소화하려고 지나친 관심과 간섭으로 온실 속의 화초로 키우려는 우리 학부모들의 자녀 교육 방식을 바꾸어, 아이들이 흔들리고 깨지고 힘들어하면서 실패를 배우며 성장할 수 있도록 기다려주고 내려놓는 학부모가 되었으면 좋겠다.

만들어야 할 일, 좋은 습관

부모들은 자녀가 의지력이 부족해 공부를 못한다고 생각한다. 그래서 매번 의지를 다지고 계획을 세워보지만 자녀도 힘들고 부모로서 자녀의 약함만 확인하는 결과를 초래한다. 그러나 의지력의 의식적 자아(목표, 인내, 투지, 열정, 학습, 자제력)는 일상적 행동 패턴과 관련이 없고, 대신 비의식적 자아인 습관(상황, 반복)이 일상에서 작동한다고 한다. 즉 우리의 삶은 의지의 결단보다 지속적인 습관이 더 중요하다는 말이다. 그런데 새해가 되면 원대한 꿈을 꾸고 계획을 세워 의지력을 불태우고, 시험이 마치면 다음번 시험을 잘 치루기 위해 실수를 딛고 일어나 새로운 계획을 세워 책상 머리에 앉지만 항상 작심삼일이다. 이제는 의지력을 테스트하는 악순환을 버리고 자연스럽게 그 일을 할 수 있도록 좋은 습관을 뿌리 내리도록 새로운 관점으로 접근해 봐야 할 것이다. 이벤트적인 의지의 힘보다 지속적이고 변함없는 습관의 힘이 중요하다는 것을 안다면 좋은 습관을 만들기 위해 노력해야 할 것이다.

첫째, 문제를 해결하기 전에 먼저 상황을 정리하는 것이다. 예를 들어 공부하고 싶으면 도서관에 가 있으면 된다. 그 공간 안에서는 의식적으로 옳은 일을 하려고 강제할 필요가 없기 때문이다. 그 환경에서 가장 하기 쉬운 일은 바로 공부이다. 그래서 문제를 쉽게 해결하는 사람들은 주의를 분산시키고 집중력을 방해하는 것들을 제거하는 사람이다. 둘째, 적절한 곳에 마찰력을 배치하는 것이다. 예를 들어 요리할 때 모든 재료가 손이 닿기 쉬운 곳에 정렬돼 있으면 불필요한 동작을 최소화하고 빠르고 편하게 요리할 수 있기 때문이다. 마찰력이란 단순하고 직관적이면서도 잘만 활용하면 놀라운 결과를 얻을 수 있는 것이다. 셋째, 나만의 신호를 발견하는 것이다. 새로운 습관이 형성되기 위해서는 나름대로 좋은 신호들을 보게 된다. 이러한 여러 상황 신호를 인식하고 따르다 보면 비로소 습관이 생기게 된다. 습관은 예측할 수 없고 제멋대로 하는 것을 싫어하기 때문에 집중하여 얻은 일정한 일상의 신호를 잘 활용하면 된다. 넷째, 행동과 보상은 긴밀히 연결되기 때문에 행동에 따른 보상이 있어야 한다. 습관의 초기 단계에는 기대보다 큰 보상과 빠른 보상이 필요하다. 이후 보상 없이도 작동하면 그것이 습관이 되는 것이다. 다섯째, 변화가 생기기 전까지 반복하는 것이다. 1만 시간의 법칙이 그렇고, 무엇인가 계속하다 보면 그것이 점점 더 쉬워지는 것이 그렇다. 그러나 기계적으로 반복해서는 안 되고 반복으로 만들어진 습관을 바탕으로 행동과 생각이 자연스러워져야 하고 그런 가운데 생기는 여유를 정말 중요한 일에 투입하여야 한다.

우리는 가끔 살을 뺀다거나 공부를 해야 하는 필요성을 느낄 때 작심하고 계획을 세워 의지를 불태워 열심을 내보지만 오래가지 않는다. 하면 된다는 의지가 별 효과가 없는 것을 알면서 실패를 반복한다. 특히 어린아이들에게 의지력을 테스트하는 것은 오히려 자괴감만 심어준다고 한다. 왜냐하면 의지력에 의한 행동의 변화는 5%도 안 되기 때문이다. 그래서 아이들의 행동 변화를 위한 결심을 요구해서도 안 되고 자신의 의지를 믿어서도 안 된다. 대부분 삶의 여유를 갖거나 성공한 사람들의 대부분은 좋은 습관을 가지고 있었다. 어릴 때부터 좋은 습관을 만들어주고, 살아가면서 자신에게 맞는 신호를 잘 활용해 습관을 만들도록 해야 한다. 어떤 상황에 빨리 대처하거나 선택하고 결정하는 능력은 오랜 고민과 의지가 아니라 평소에 습관적으로 가지고 있던 말과 행동과 생각으로 말미암는다. 좋은 습관을 가져야 하는 이유가 여기에 있다.

말해야 할 일, 성공보다 성장

살아가며 세운 목표를 이루는 것을 성공했다고 하고, 이루지 못하면 실패했다고 한다. 한번 사는 인생, 성공하여 잘 살아보겠다는 의지에 수많은 명언들로 성공을 기원하기도 한다. 성공을 확신하는 것이 성공의 첫걸음이다(에디슨), 실패는 성공이 어머니다(에디슨), 성공하려거든 자신이 뜻한 바에 따라 한눈팔지 말고 묵묵히 나아가라(프랭클린), 성공은 수고의 대가라는 것을 기억하라(소포클레스), 성공을 바라면 우선 목적을 정해야 한다(톨스토에프스키). 주변에 성공한 사람들의 성공담을 들으면 동기부여가 되어 우리들도 성공할 수 있을 거라 믿고 열심히 노력한다. 매슬로우의 인간 욕구의 최고 단계인 자아 실현을 성공이라고 본다면, 자아 실현을 이루기 위한 하급 단계를 모두 만족해야 성공이라고 할 수 있을 것이다. 즉 성공이란 생리적 욕구, 안전의 욕구, 애정과 소속의 욕구, 자아 존중감의 욕구를 다 포함한 자아 실현이라고 할 수 있다. 자아 실현의 욕구가 채워짐으로 나타나는 성공을 외부적인 모습이라고 한다면 내부적인 면의 성공은 성공을 통해 이루어진 성장이라고 할 수 있다. 리더십 강의의 대가 죤 맥스웰은 내일의 더 멋진 삶을 위하여 인생의 성공보다 성장하기를 권면하고 있다. 성장은 그냥 시간이 지나면 되는 것이 아니라 삶의 목적을 발견해야 하고, 자기 인식을 높여야 하며, 더 좋은 사람들을 만나기 위해 몸을 움직여야 하는 것이다. 성장한 사람은 자신의 인생을 돌아보며 스스로 이뤄낸 삶의 성과에 무한한 경외감을 느끼며, 또 다른 사람들의 성장을 위해 지치지 않고 도와주는 사람이다.

첫째, 성장이란 자신을 아는 데서 시작한다. 인생에서 중요한 두 날이 있는데 하나는 자신이 태어난 날이고, 다른 하나는 태어난 이유를 발견한 날이다. 태어난 이유, 즉 인생의 사명을 발견하기 위해서는 자신에게 적나라할 만큼 정직한 질문과 대답을 해야 한다. 그러기 위해 지금 잠시 멈춰 잠깐 되돌아보는 습관을 가져야 한다. 둘째, 성장이란 자존감을 높이는 것이다. 자신을 어떻게 보는가가 자신의 모든 면을 변화시킨다. 자신과의 대화에서 긍정적이면 긍정적인 자아상을 확립하게 되기에 매일 긍정적인 습관, 행동, 결정을 하며 자존감을 키워야 한다. 자신의 가치를 높이기 위해서는 타인에 대한 관심과 도움을 주는 것이 꼭 필요하다. 셋째, 성장하기 위한 의도적이고 계속적인 변화는 일단 시작하며 추진하면 된다. 위대한 작곡가도 영감을 받아 작곡을 시작한 게 아니라 작곡을 시작하고 나서 영감을 받는다고 한다. 꿈을 실현하는 방법은 일단 행동으로 옮긴 후 세부적인 공식을 만들어가며 전략을 다듬는 것이다. 전략은 변화의 영향력, 적용의 용이성, 소통의 보편성이 있어야 하고, 체계를 갖추어야 하는데, 체계란 구체적인 원칙을 흐트러짐 없이 꾸준히 실천(일관성)해 목표를 달성하는 절차이다.

성장하게 되면 우선 성품이 다듬어지고 사람들이 닮고 싶어 한다. 좋은 성품은 우선 큰 그림(사명)을 기억하고, 자신의 약점을 인정하여 배울 줄 알고, 기쁜 마음으로 다른 사람을 섬김으로 항상 감사할 줄 아는 태도를 갖는다. 성장한 사람은 더 많은 사람들과 함께 행복한 세상을 만들어간다. 그래서 사람들을 먼저 챙기고, 자기만족보다 자기 개발을 통해 계속 베풀고 성장하려고 노력하여 다른 사람들의 성장을 도우며 산다.

돌봐야 할 일, 실력보다 역량

요새는 어려서부터 사회가 요구하는 최소한의 능력을 갖추기 위해 많은 학원을 전전하며 잠깐씩이라도 기능을 배운다. 우리나라에서 아이들이 피아노 학원과 태권도 학원은 기본이다. 물론 맞벌이 부부로 아이들을 맡길 곳이 없어 보낸다고는 하지만 아이들이 갖추어야 할 기본적인 음악과 운동의 소양이 되고 말았다. 여기에 조금 크면 영어 학원을 다니며 어학을 준비한다. 그리고 초등학교 고학년이 되면 대학 입시를 위한 교과목 학원이나 과외에 집중한다. 이렇게 하여 고학년이 될수록 더욱 전문적으로 스펙을 쌓기 시작하여 한국사 능력, 토플, 봉사 활동 시수 등 자기 소개서나 이력서에 넣을 각종 자격과 면허의 폭을 넓혀간다. 그래서 각종의 능력을 객관적으로 표출하는데 능하지만 이러한 실력을 현장에서 융통성 있게 발휘하는 능력은 부족하다. 즉 실력은 있지만 역량이 부족하다는 말이다. 그러나 기본 실력을 잘 다져 놓으면 역량을 발휘할 수 있다. 전문가는 리모델링(핵심 역량 7-80% 유지, 2-30%만 개혁)을 하고, 비전문가는 재건

축(100% 개혁)을 한다는 말이 있다. 역량 교육은 교육 체제에 있어서의 리모델링 작업이다.

요새는 과거 교과 학습 능력 중심의 주입식 교육으로 명문대를 진학하면 평생 행복할 것이라는 인생 법칙이 깨어지고 있다. 서울대 4.0이상 학점을 받은 학생들의 공통점은 수업시간에 필기를 잘하는 철저한 수용적 학습자였다는 것이다. 이는 전통식 교육 활동(교사 주도, 수동적 학습, 침묵 수업, 문제 풀이 수업, 기계적 암기 교육, 결과 중심 평가)에 익숙함을 의미하는데, 점차 이런 학생들의 취업이 늦어지고 있다. 미래에는 새로운 학습 능력인 창의력, 비판력, 소통력, 협업력 등 역량을 요구하는 시대가 되었기 때문이다. 교과 학습만 잘하는 학생은 공무원이나 대기업에 취직해 가족만 먹여 살릴 수 있지만 역량이 있는 학생은 주변을 먹여 살릴 수 있다. 그러나 교과 학습 능력과 역량이 있는 학생은 세상을 먹여 살린다. 작은 지식은 기존 체제로 교사 주도의 학습 활동을 하지만 큰 지식은 학생 주도, 상호 주도의 학습 활동을 한다. 역량이란 직무를 성공적으로 수행할 수 있는 능력, 개인의 성공적 삶과 사회에 기여하는 능력을 말한다. 이제 과거의 학습 요소인 지식, 기능, 태도의 교육을 역량 교육으로 변환시켜야 한다. 즉 지식(전통 교과, 글로벌 활용), 스킬(바른 사고, 비판적 사고), 인성(회복 탄력성 - 넘어졌을 때 일어날 수 있는 능력, 마음 챙기기)의 교육적 마인드로 관점을 바꾸어야 할 것이다.

지금까지 우리나라 교육은 남들과 비교하면서 평균적이고 획일적인 것을 추구하여 남과 달리 특별한 모습이나 행동을 부끄러워했다. 이제 기존 틀에서 벗어나 창의성을 갖추고 역량을 키우기 위해 다음의 것들을 실천해 보자. 첫째, 남에게서 배우는 것이다. 창의성은 남들에게 배우는데서 시작된다. 내 것, 네 것을 나누면 생각이 작아진다. 세계 강대국이 된 나라들은 모두 다른 나라에게 배우는 나라였다. 예를 들어 로마의 군인들은 적을 통해 하나씩 배워서 강군을 만들었다. 단칼은 스페인 전쟁에서, 긴 투구는 트라키아 전쟁에서, 그리스를 정복한 후 그들을 교사로 세웠다. 둘째, 잘 섞는 것이다. 섞으면 순수성이 없어질 수 있어도 모든 문화와 기술은 혼합물의 산물이다. 아라비아 숫자도 사실은 인도 - 힌두 - 아랍을 거쳐 서구에서 완성되었고, 서구의 과학도 서구 신학적 논리와 아랍의 관찰 문화가 혼합하여 완성된 것이다. 셋째, 재해석하는 것이다. 같은 물건도 다른 언어로 재해석하고, 그 상황에 의미를 붙여 주는 능력이 새로운 것을 만들어 낸다. 자신과 관계되는 모든 것에 의미를 부여한다면 모든 것이 내 것이 되고 생명력을 갖추게 된다. 재해석은 의미를 부여하는 능력이다.

바래야 할 일, 믿음의 조상

내가 좋아하는 찬송가 중에 “나의 사랑하는 책”이 있다. 이 찬송을 부르다보면 어려서 할머니와 어머니의 기도 소리와 찬송 소리를 듣는 듯 아름다운 향수에 빠지곤 한다. “나의 사랑하는 책 비록 해어졌으나 어머님의 무릎 위에 앉아서, 재미있게 듣던 말 그때 일을 지금도 내가 잊지 않고 기억합니다. 옛날 용맹스럽던 다니엘의 경험과 유대 임금 다윗왕의 역사와…” 믿음의 추억과 향수는 우리 자녀들에게 믿음의 유업을 잇고자 하는 마음을 품게 한다. 성경의 사사기에서 이스라엘이 가나안에 정착하면서 하나님을 제대로 가르치지 못해 다음 세대가 아닌 다른 세대를 키우며 심판을 받은 교훈은 지금 우리에게도 적용되어야 할 것이다. 그래서 우리 부모들은 자녀들에게 믿음의 조상들에 대한 이야기를 통해 믿음의 본을 가르치고 세상을 바꿀 리더를 꿈꾸고 바라며 기대해야 하지 않을까 생각한다.

성경의 믿음의 조상을 소개해 보고자 한다. 하나님께서 장차 인간의 구원을 위해 한 민족을 선택한 것이 아브라함이었다. 아브라함은 고향을 떠나 약속의 땅 가나안으로 가라했을 때, 하나님의 자녀로서의 증표로 할례를 요구할 때, 늦게 얻은 자식을 제물로 바치라했을 때, 며느리를 믿음의 친척에게서 찾으라 했을 때마다 순종하였다. 그러한 순종을 기쁘게 보신 하나님께서 그에게 축복하시고 믿음의 조상으로 불러주셨다. 이삭은 어려서부터 아버지로부터 하나님을 듣고 배운 모태신앙자로서 아버지의 순종을 통해 약속의 하나님에 대한 확고한 믿음을 가졌고, 이웃들과 다투거나 시기하지 않고 양보하며 하나님의 사람이라고 인정받으며 축복을 받았다. 야곱은 비록 육신적으로 속임수와 계산에 빨랐지만 영적으로 욕심이 많았다. 장자권과 축복을 빼앗고, 도망 중에 조상으로부터 들었던 하나님을 벧엘에서 직접 만나 확신을 갖고, 삼촌에게 이용 당해 세월을 보냈지만 많은 재산과 자손을 얻고, 특히 어려움을 당할 때 하나님께 매달려 기도하며 이스라엘이라는 이름을 얻어냈다. 모세는 하나님의 필요에 의한 지도자였다. 백성의 부르짖음에 하나님이 모세를 부르셨고, 모세는 핑계대며 회피하려했지만 하나님은 할 일을 준비케 하여 모세를 통해 이스라엘을 구출하며 기적을 행하여 가나안으로 이끌어 주셨다. 그러나 가나안 땅 앞에서 죽음을 맞이한다. 모세의 사명은 여기까지였기에 건강했지만 하나님이 데려가셨다. 모세 입장에서 억울한 것이 많았겠지만 후계자를 키우며 하나님이 하시는 일에 순종한 아름다운 리더의 모습을 보여 주었다. 모세를 잃은 이스라엘을 이끌던 여호수아는 두려워

말고 담대하라는 말씀에 확신을 가지고 순종함으로 가나안을 정복하고 정착하는 과정에 리더십을 발휘하였다. 다윗은 매 순간 하나님께 순종하고 찬양하고 기도하며 주님과 동행하여 성실하게 살아간 신앙인의 삶에 모범을 보였다. 특히 성전 건축을 하고자 했지만 선지자를 통해 피를 많이 흘려 아들이 해야한다고 했을 때 무리하게 고집부리지 않고 순종함으로 그 유업을 아들에게 물려주었다. 왕의 권한을 행세하거나 자기 주장으로 주변 사람을 힘들게 하지 않고 매사에 하나님의 주권을 인정한 지도자였다. 다니엘은 15세에 패전국의 포로로 바빌론에 끌려 갔지만 처음부터 뜻을 정하여 하나님을 섬김으로 모함을 받고 사자굴의 죽음에 이르는 어려움을 당했지만 하나님이 지켜주시고 때마다 지혜를 주어서 왕의 꿈을 해석하여 미래를 예견하며 왕과 사람들에게 칭찬받고 80세까지 총리로 세움을 받았다. 당시 느브갓네살왕이 '너의 하나님은 참으로 모든 신들의 신이다', 다리오왕도 '네가 항상 섬기는 너의 하나님이 너를 구원하시리다' 인정하였다. 사도 바울은 예수를 따르는 자들을 붙잡는 유대의 열심파였지만 예수님을 만나고 난 후 자신의 학문과 열심, 그리고 로마시민으로서의 신분을 이용해 복음을 증거하였다. 그런 과정에서 편지를 통해 복음에 대해 체계적으로 정리해 예수와 복음에 대해 알지 못하는 사람들에게 예수를 믿어야 하는 정당성과 예수를 믿는 사람들이 취해야 할 태도 등을 알려주었다. 바울은 성경 66권중 13권을 집필한 위대한 지도자였다.

Chapter 3

신앙의 가치관 세우기

나이를 먹었다고 어른이 되는 것이 아니다. 지금도 많은 노인들이 자기 나이를 과시하며 젊은 사람들과 싸우며 불쾌한 모습을 보이기도 한다. 어른이란 마음이 순하여 사람들을 포용할 줄 아는 사람이다. 그렇게 어른이 되기 위한 조건들이 많은데, 나는 그중에 제일은 자기가 누구인지를 알고 이 땅에 태어난 목적을 알고 살아가는 가치관이라 생각한다. 지금 나를 있게 한 나의 가치관인 기독교 세계관을 통해 이러한 부분을 조명해 보고자 한다. 이는 40년 교직 생활을 하며 만나 동료들과 제자들에게 보여 주었던 모습이었고, 매 순간 살아가며 치열하게 지키려 하고 삶에서 실천하려고 했던 가치관이었다. 어른이 되기 위한 첫 번째 조건으로 가치관을 세워야 하고, 그런 가치관 중에 기독교 세계관이 무엇인지를 소개해 보고자 한다.

가치관의 필요, 그 중요성

요새는 마음만 먹으면 얼마든지 즐거움을 찾을 수 있고, 알고자 하면 뭐든지 바로 알 수 있고, 도전하면 상상을 초월한 편리하고 필요의 산물들을 만들어 낼 수 있다. 그런데 과거보다 더 많은 사고로 사람이 죽거나 더 많은 사람들이 분노와 우울에 빠지고, 상대적 박탈감으로 인간의 존엄성조차 무시받으며 매일의 삶이 전쟁터이고 살얼음판이 되어 가고 있다. 잘 나가는 사람들의 철저한 자기 관리를 뽐내는 성공 스토리, 좌절과 절망과 왕따로 인해 아파트에서 떨어진 이들의 유서 이야기 등은 치열한 경쟁 속에서 그나마 살아 있는 것이 고마울 때가 많다. 우리는 인생을 끝없는 선택의 연속이라고 말한다. 또 순간의 선택이 평생을 좌우한다고 한다. 그러나 오늘날은 올바른 선택을 하기도 힘들고, 선택을 잘했다고 스스로 평가하기는 더 힘들어졌다. 그것은 우리 선택의 기준이 현대 과학 수준에 맞는 객관적인 것이거나 나의 주관에 맞는 즐거움일 수도 있지만 인간적으로 상대적 판단일 때가 더 많기 때문이다. 예를 들어, 과거에는 자녀 양육에 대해 아는 것도 없고 자신의 일이 바빠 알아서 크도록 방치했는데, 지금은 자녀 교육에 대한 지식과 자녀의 필요를 채우는 사회적 요구로 말미암아 상대적 기준으로 자녀를 판단하여 이리저리 흔들리고 우왕좌왕하며 후회하는 경우가 많아졌다. 그래서 나중에 후회하지 않도록 자신의 선택에 떳떳하고 자신을 지킬 수 있는 삶의 기본기인 가치관 갖추기를 권하고 싶다.

가치관이란 내가 세상을 살면서 어떤 행동이나 존재에 관해 이렇게 바라보는 자기 기준이고 견해이다. 세상과 나 사이의 접점을 찾아 세상을 상대하는 나만의 방법을 정하는 것이다. 그래서 가치관은 어떤 상황에 대한 주관적 판단일 수도 있지만 자신의 인생관과 세계관과 어우러져 개인의 사고와 자세, 행동, 판단, 방향을 정해주는 방향키라고도 할 수 있다. 사람들은 삶 속에서 끊임없는 가치 충돌의 긴장을 느끼고 자신의 가치에 의해 상황을 결정하게 된다. 이때 크게 세 가지 가치를 지향하게 되는데, 하나는 외면적 가치(금전, 권력, 지위, 명예, 성공 등)이고, 다른 하나는 내면적 가치(인격, 지식, 우정, 정의, 성숙 등)이며, 또 하나는 의지적 가치(종교, 과학, 양심, 선악, 자존 등)이다. 사람들은 대부분의 경우 외면적 가치를 우선적으로 선택하여 잘 살아 보겠다고 노력한다. 그러나 선택 과정에서 공평하지 못하거나 위선적 행동, 경쟁적 노력 등으로 타인에게 욕 먹으면서 부도덕, 부정, 경쟁, 질투 등의 결과를 초래해 상처를 주고 받기도 하고 상대적 평가로 의해 끊임없이 욕망을 불태우게 된다. 내면적 가치를 추구하는 경우 사람들에게 칭찬받고 좋은 평은 받을 수 있어도 손해 보며 살거나 고난과 역경을 겪어 자신의 가치를 끝까지 지키지 못하는 경우가 있다. 또한 의지적 가치로 살게 되면 자기만의 생각과 뚜렷한 자기 주관에 만족하지만 타인과 어울림이 어려워질 수 있다. 그래서 이것 아니면 저것이라는 흑백 논리를 지양하고 가치 충돌을 최소화하기 위해 이것도 저것도 아닌 이중적 가치를 지니거나 아무런 것에 가치를 두지 않을 때가 있다. 그러다 보니 때마다 판단하는 기준이 달라져 타인에게 신뢰받지 못하는 행동을 하며, 자신에게도 가치관의 혼란과 선택과 판단에 후회를 갖곤 한다.

이처럼 우리는 세상을 살아가며 자기만의 가치관을 가지고 살아야 한다는 것을 알게 되었다. 가치관이란 가치에 대한 관점으로 내가 가치있다고 생각하는 것, 즉 내가 소중히 여기는 것이 무엇인지를 갖추고 이에 대해 답하는 것이라고 한다면, 한번 나의 가치관이 무엇인지를 표현하기 위해 '살면서 가장 중요한 선택이 무엇인가? 와 그것을 선택한 이유가 무엇인가?'에 대답해 보면 어떨까 한다. 사람은 소중한 것을 지키기 위해 인생에서 중요한 선택을 할 것이고, 선택한 이유를 통해 자신이 소중하게 생각하는 것이 무엇인지 알 수 있기에 이를 통해 나의 가치관을 확인해 보면 좋겠다.

가치관의 혼돈, 이중적 가치

아이들의 가치관 형성에 가장 먼저 영향을 끼치는 사람은 부모이다. 어려서 부모의 말과 행동으로 새겨지는 자녀의 마음은 자신도 모르게 부모를 닮거나 혹은 크면서 부모를 반면교사 삼아 그렇게 하지 않겠다고 하지만 이미 형성된 생각과 습관이 쉽게 바뀌지는 않는다. 아이들이 부모를 떠나 유치원과 학교나 교회 등 여러 공동체 관계를 통해 사회화를 배우면고, 그곳에서 만나는 교사와 친구들과 각종 지식 등으로 가치관 형성에 또 다른 영향을 미치게 된다. 특히 자신의 정체성이 형성되는 사춘기에 어려서부터의 습관적 생각을 바탕으로 새로 겪게 된 환경과 세상에 대처하는 과정에서 자신의 가치관이 점점 뚜렷해지게 된다. 이는 세상에서 잘 살기 위해 끊임없는 가치 충돌을 경험하며 나름대로의 대처 기술을 세워가거나 더 큰 혼돈에 빠지게 되는데, 특히 하나님께 대한 신앙을 갖고 신앙 생활을 하는 사람들에게 가치 충돌로 인한 혼돈은 이중적 가치에서 경험하게 된다. 신앙 생활을 하는 사람들이 경험하는 이중적 가치에는 어떤 것이 있으며 이를 어떻게 극복할 것인가를 생각해 본다.

우선은 신성과 세속에 대한 이중적 판단이다. 교회는 신성하고 세상은 세속적이라는 생각이다. 이는 과거 중세시대 이래 카톨릭 세계에서 천 년간 이끌어왔던 사고 방식이며, 개신교에서의 보수주의 신앙이 이에 속한다고 하겠다. 그래서 믿음은 신성하고 세상을 속된 것으로 교회 중심의 믿음 생활만이 최고로 여겨, 자신을 세상과 구별하여 세상에 경계심을 갖거나 세상의 삶에 관심을 두지 않게 된다. 그러나 이는 종교개혁 당시 루터와 칼빈에 의해 세상의 모든 것은 하나님의 창조물로써 신성한 것이기에 최선을 다해 살아야 한다고 가르치면서 극복하게 되었다. 사도행전에서 베드로가 고넬료를 전도하기 전에 꿈에서 하늘로부터 내려온 성스럽지 못한 짐승들을 거부하려 했으나 '하나님께서 깨끗하게 하신 것을 네가 속되다 하지 말라'하신 말씀이 있다. 즉 세상의 모든 것은 하나님이 깨끗하게 주신 것인데 우리 인간이 속되다고 구별한 것은 잘못되었다는 말이다. 교회와 세상을 이원론적으로 구별하지 말아야 한다는 말이다. 둘째는 진화론과 창조론의 이중적 대립이다. 신앙 생활을 하는 사람들은 하나님이 세상을 창조하셨다고 믿지만 학교와 세상에 나가면 세상은 우연히 만들어져 진화되었다는 사실을 배우게 된다. 그래서 학교에서는 최초의 인류를 오스트랄로피테쿠스라고 답하고 교회에 와서는 아담이라고 대답한다. 이러한 환경에서 자라다 보니 매사에 이중적 가치에 의해 충돌을 느끼며 이러지도

저러지도 못하여 신앙 생활을 위해 세상을 등지거나 세상의 가치를 따르기 위해 믿음을 버릴 수밖에 없다. 참 안타까운 현실이다. 이는 진화론에 대해서는 체계적이고 구체적으로 배웠지만 창조론에 대해서는 믿음만 강조했지 제대로 배우지 못하여 논리적으로 믿음을 의심하기 때문이다. 이제 창조론은 믿음이 아니라 과학적 사실임을 구체적으로 가르쳐 주어야 할 것이다. 즉 세상의 모든 것이 하나님의 창조물이라고 할 때 과학에서 말하는 자연법칙과 진화조차도 하나님의 창조 법칙 중 하나임을 이해하여 세상과 구별되지 않고 세상 속의 하나님을 경배하고 잘못된 세상을 변혁시키는 자세를 갖추어야 한다.

모든 것이 하나님으로부터 나오고 세상의 모든 상황은 하나님의 주관 하에 있다고 이해하고 믿는다면, 세상의 이중적 가치인 선과 악, 신성과 세속, 교회와 세상, 창조와 진화 등은 대립의 관계이거나 구별해야 할 대상이 아니라 모두가 소중하게 함께 해야 할 대상으로 나의 바른 가치관으로 아우를 수 있어야 한다. 그러면 내게 속한 세상, 나와 함께 하는 사람들, 내가 하고 있는 일은 하나님의 것으로 하나님을 대하듯 최선을 다할 수 있다. 하나님을 믿는 관점에서 세상을 바라보는 가치관, 즉 기독교 세계관을 갖춘다면 세상의 이중적 가치를 극복할 수 있고 신앙적으로 바르게 살아갈 수 있을 것이다.

추구해야 할 가치관, 기독교 세계관

요새는 정신 차리지 않으면 눈뜨고 코 베가는 세상이 되어 버렸다. 정신을 바짝 차리라는 말은 빠르게 변화하는 환경에서 자신의 이익을 위해 상대를 이용하는 상황을 인식하고 자신을 지키라는 말이다. 눈뜨고 코 베간다는 말은 어영부영 대처했다가는 자신의 모든 것을 잃을 수 있다는 말이다. 신앙 생활을 한다고 착하고 어진 행동으로 남들에게 이용 당하는 것은 어리석은 일이다. 남들에게 손해 보고 이용 당하는 듯하지만 세상을 이길 줄 아는 지혜로운 사람이 되어야 한다. 지혜의 근본은 하나님이시기에 하나님으로부터 그 지혜를 배워야 한다. 그 지혜는 내가 하나님 중심으로 세상을 어떻게 보고 어떻게 대처해야 하는지를 아는 데서 시작된다. 그것이 바로 기독교 세계관이다.

기독교 세계관이란 기독교적 관점에서 세계를 인식하는 체계이며 세상을 살지만 하나님의 나라에서 살아가듯이 생활할 것을 결정하는 관점이다. 기독교 세계관에는 나는 누구이며 주변을 어떻게 보아야 하는지에 대하여 다음과 같이 말해준다. 나는 하나님의 창조물이다(원인론). 내 삶의 목적은 하나님을 영화롭게 하는 것이다(목적론). 이런 상황에서 예수님은 어떻게 했을까를 묻는 것이다(판단론). 그리고 성경 안에서 자신과 상황의 진실을 찾는 것이다(인식론). 그래서 기독교 세계관의 중요한 주제를 구체적으로 말하라고 한다면 다음과 같이 제시할 수 있다. 우주는 하나님께서 창조하셨고 하나님에 의해 유지 보존된다(우주론). 인간은 하나님의 형상대로 지음 받은 존재로 하나님과의 교제를 통해 피조 세계를 다스리는 하나님의 청지기이다(인간론). 하나님은 성부, 성자, 성령의 삼위일체 하나님으로 예수 그리스도의 인격 안에 자신을 계시하시고 성령을 통해 일하신다(신론). 우주 만물의 보이는 것과 보이지 않는 것은 하나님의 창조 원리와 질서 안에서 존재하고 유지 보존되고 있다(존재론). 종교는 하나님의 주도적인 부르심에 구체적으로 응답하는 것이고, 하나님의 명령에 복종하는 삶이다(종교론). 만물은 하나님의 창조 법칙이 작용되는 바, 인간은 과학을 통해 이를 발견하여 하나님의 실존을 깨닫고 인류 평화와 복지를 위해 활용해야 한다(과학론). 국가는 하나님의 주권 하에 있고, 국가의 통치권은 하나님으로부터 주어졌기 때문에 국가는 하나님을 경외하고 그 명령을 준행하여야 한다(국가론). 인간은 피조물을 가꾸고 다스리라는 하나님의 문화 명령에 따라 자연과 문화를 지키고 보존해야 할 의무를 가진다(문화론).

성경을 바탕으로 세계를 인식한 기독교 세계관은 바울, 어거스틴, 루터, 칼빈을 거치면서 철학적이고 신학적으로 잘 다듬어져 세상을 살아가는 기독교인으로서의 믿음과 행위와 태도를 가르쳐 왔다. 삶이 없는 세계관은 죽은 것이고, 세계관 없는 삶은 허무한 것이기에 이러한 기독교 세계관이 삶에 잘 적용되기 위해서는 어떻게 해야 할 것인가? 세상은 인간이 선하고 무한한 능력을 소유했기 때문에 무엇이든지 도전하고 경쟁을 통해 성공할 수 있다고 가르치지만, 기독교 세계관에서는 인간은 죄인이라 예수님을 통해 구속받고 성령의 역사하심을 의지하여 하나님이 명령하신 일을 행하되 자신이 선택한 삶에 대해 책임지는 것을 가르친다. 세상은 측정 가능한 사실만이 과학이고 지식이라고 가르치지만, 기독교 세계관에서는 세상의 모든 지식이 하나님의 것으로 나의 지식과 능력으로 무엇을 할 수 있는지를 찾고 하나님과의 관계를 통한 사랑과 포용과 인격적인 삶을 가르친다. 세상은 가치란 개인적인 영역에 속해 중립적이지 못하기 때문에 가르칠 수 없다고 하지만, 기독교 세계관에서는 모든 것이 하나님과 관련되어 있기에 그 가운데 포함된 의미와 가치를 회복하도록 가르친다. 또한 기독교 세계관은 신앙 생활을 하는 사람들이 세상은 악하기에 세상에 탐닉하지 말고 구별된 삶을 사는 것이 아니라, 죄로 인해 망가진 세상을 좀 더 좋게 만드는데 관심을 가지고 개혁해야 할 것을 가르친다.

신앙적 가치의 시작, 창조론의 인정

우리는 의식하거나 의식하지 않거나 어떤 세계관을 가지고 살아간다. 그런데 큰 고민 없이 형성된 세계관은 편견과 선입견으로 일관성 없이 타인의 견해에 감염되어 그것을 마치 내 의견인 양 따라가다가 이리저리 휘둘리게 되는 경우가 있다. 오늘날 기독교가 위기라고 하는데, 가장 큰 이유는 기독교인들이 세상의 감염된 세계관을 갖고 자신의 정체성이 분명하지 않기 때문이라고 생각한다. 즉 주님을 믿고도 세상적 세계관에서 벗어나지 못하고 기독교 세계관이 무엇인지 모르고 있다는 것이다. 이제 가치관의 중요성, 특히 신앙인으로서 기독교 세계관이 무엇인지를 알았다면, 기독교인으로서 바른 세계관을 갖추는데 기본이 될 기독교 세계관의 첫 시작인 하나님의 창조에 대한 이야기를 알아보고자 한다.

우주와 인간의 기원에 대한 연구는 종교나 철학, 과학의 이름으로 이어져 왔다. 이를 크게 나누면 첫째, 유대의 하나님 창조를 믿는 히브리식 사고, 둘째, 그리스의 철학적 범신론 중심의 헬레니즘 사고, 셋째, 자연 과학의 진화론을 제시한 현대적 사고이다. 고대 그리스에서 시작된 인류 기원에 대한 다양한 질문과 철학적 답변, 신화적 표현은 중세 천 년간 하나님의 창조를 당연시하는데 이르렀고, 근대 과학의 발전은 오랜 진화에 걸친 우연한 산물이라는 결론을 내렸다. 과학의 발전으로 과거의 진실이 거짓이 되기도 하면서 결국 지구의 기원과 인류의 시작은 진화냐, 창조냐로 갈라지게 되었다. 지구의 나이가 46억년 되었다는 진화론의 주장(1859년 찰스 다윈의 '종의 기원', 1976년 옥스퍼드대 교수 리처드 도킨스의 '이기적 유전자'와 '만들어진 신'), 성경에 근거해 6,000년쯤 되었다는 젊은 지구 창조론의 주장(17세기 영국 대주교 제이스 어셔의 '성경 속 인물의 나이로 본 세상의 창조', 1923년 안식교 신자 지질학자 조지 매크리디 프라이스의 '새로운 지질학', 1961년 신학자 존 위트콤과 공학자 헨리 모리스의 '창세기 홍수 이야기'와 본격적인 창조과학운동 체계화, 1981년 한동대 총장 김영길의 '한국창조과학회 결성')이 있다. 또 우주와 지구의 오랜 흔적을 통해 하나님의 창조로 시작되어 여러 번의 대격변을 겪어 지금에 이르렀다는 타협이론인 오랜 지구 창조론의 주장(2008년 밴쿠버 기독교세계관대학원장 양승훈의 '오랜 지구 창조론 - 다중격변론'), 또한 정교한 생명체는 신이 아니더라도 어떤 창조자가 있어야 한다는 지적 설계론(1991년 미국 법학자 필립 존슨의 '심판대의 다윈', 미국 리하이대학교 생화학과 교수 마이클 비히의'다윈의 블랙박스', 2004년 서강대 기계공학과 교수 이승엽의 '지적 설계연구회 설립'), 하나님의 창조는 인정하되 성경은 영적인 세계를 말할 뿐 과학적으로 믿을 수 없다며 오랜 진화 과정을 거쳐 오늘에 이르렀다는 유신 진화론(미국 유전학자 프랜시스 콜린스 '신의 언어'. 서울대 물리천문학부 교수 우종학의 '과학과 신학의 대화') 등이 그것이다. 결국 우리는 자신의 신념 체계에서 진화론과 창조론 중에 하나를 참이라고 정하게 되면 나머지는 거짓이 될 것이고, 여러 창조론 중 하나를 정하면 나머지는 버려야 할 것이다. 이처럼 인류의 첫 시작에 대해 우리는 자신의 신념으로 하나를 정해야 할 텐데 그 순간 그 신념 하에 자신의 삶의 이유와 의미를 찾게 될 것이고, 그로 인해 인생의 태도와 결과가 달라지게 될 것이다.

나는 어려서부터 기독교인으로 자연스럽게 하나님과 성경을 믿으며 창조론을 따르고자 했지만 학교에서 배우는 진화론에 익숙해 창조론과 진화론의 가치 충돌에 신앙적 혼란을 겪었다. 그러다 1980년대 소개된 창조과학회의 창조론의 과학적 증거를 알게 되면서 성경과 과학에 근거한 창조론을 더 확신하게 되었다. 즉 성경 말씀을 그대로 적용한 젊은 지구 창조론을 통해 나의 믿음의 바탕을 다지게 되었고, 인류의 역사와 세상 학문에 대해 나름대로 사고 체계를 형성하게 되었다. 그러한 과정에서 진화와 창조에 대해 무엇이 더 과학적인가를 논쟁하기 보다 중요한 것은 과학은 진리가 아니라 지식이라는 전제하에 진화와 창조, 혹은 젊은 지구론과 오랜 지구론 등을 적용하는데 있어 그 지식을 통해 자신의 신념과 믿음에 대해 과거의 잘못된 사실을 밝히고 새로운 진실을 인정하는 폭넓은 관점의 필요와 이를 자신의 신념이나 믿음에 어떻게 적용해야 하는지를 찾게 되었다.

우리에게 익숙한 진화론의 특징은 우연과 경쟁과 투쟁과 유물론이다. 그러나 창조론은 목적과 질서와 평화와 유신론이다. 그래서 우리가 창조론을 바탕으로 한 기독교 세계관을 갖는 것은 기독교인으로서 살아가는데 갖추어야 할 믿음의 근거가 된다. 이제 진화론은 과학적 사실이고 창조론은 종교적 믿음이라는 생각을 버려야 한다. 과학의 꾸준한 발견과 발전은 과거에 진실이었던 것들을 수없이 바꾸어 놓았고, 과거에 단순한 종교적 믿음으로 여겨왔던 성경의 창조 사건들이 과학의 연구 결과 과학적 사실로 증명되었기 때문이다.

창조론은 인간이 어디에서 왔으며 하나님이 왜 창조하였는지에 대해 알려 주고 있다. 또 인간은 특별한 목적으로 창조된 소중한 존재로서 죄인의 거듭남과 구원과 은혜라는 성경 말씀을 깨닫게 해준다. 그리고 진화론과 과학이 설명하지 못하는 것들에 해답을 주어 인간이 경험하지 못하는 그 이상의 세계를 보게 한다. 그래서 하나님이 만물을 창조하고 특히 인간을 창조했다는 과학적 근거와 이에 대한 믿음은 기독교 세계관을 갖출 수 있는 충분 조건이 되고, 이로 말미암아 삶에서 여호와를 경외하는 것이 지식의 근본임을 깨닫고 하나님을 인정하는 것이 기독교 세계관을 실천하는 동기가 될 것이다.

신앙적 가치의 바탕, 성경의 역할

기독교 세계관을 형성하는 바탕은 감동적이고 좋은 설교 말씀이 아니라 하나님의 말씀인 성경이다. 성경은 이스라엘의 역사와 문학 작품이기에 앞서 하나님이 선택한 한 민족을 통해 하나님의 존재와 역사하심을 보여 주신 게시물이다. 그래서 수천 년에 걸쳐 하나님으로부터 영감을 받은 여러 사람들이 쓴 글이지만 하나의 주제를 가지고 각 시대마다 영향을 미쳐왔다. 즉 하나님이 역사를 이끌어 온 주인공임을 성경이 말해주고 있다.

성경은 '태초에 하나님이 천지를 창조하셨다', '우리의 형상과 모양대로 우리가 사람을 만들자'고 하여 천지와 인간 창조를 하나님이 주관하심으로 인류 역사가 시작되었음을 말해주고 있다. 서양에서는 역사를 헤로도투스의 '페르시아 전쟁사'인 '히스토리아'라는 제목에서 History라 하였다. 기독교 중심의 역사를 이끌어 온 서양은 History를 His story로 보아 역사를 그의 이야기라 할 때 예수님의 이야기라고 해석하기도 한다. 또 4세기 역사 철학자인 아우구스티누스는 '신국론'에서 역사를 움직이는 원동력을 성령이라고 하였다. 이를 종합하여 인류의 역사를 정리하면, 성부 하나님은 천지를 창조하여 역사를 시작하였고, 성자 예수님은 역사의 주인공이며, 성령 하나님은 역사를 이끄시는 힘이라 하여, 역사 속에 삼위일체 하나님이 함께 일하신다.

성경은 여러 사람이 썼지만 한가지 주제, 즉 하나님의 말씀, 예수님 이야기이다. 성경은 인류의 역사를 바꾸었고, 나라를 바꾸었고, 사람을 변화시켰다. 웨슬레가 모라비아교도의 성경 공부 모임을 통하여 하나님을 만난 후 영국을 변화시켰고, 윌리엄 캐리가 인도에 전도하여 나라 경제와 정부를 바꾸어 놓았고, 목사 아브라함 카이퍼가 그리스도를 영접한 이후 네덜란드의 수상이 되어 나라의 미래를 개척하였고, 한스 닐센 헤우게는 인류 문제 해결의 원칙이 성경에 있다는 사실을 발견하고 노르웨이를 부하고 자유로운 나라로 바꾸어 놓았다. 특히 한국도 순교한 선교사들의 성경 번역과 전도를 바탕으로 교회가 부흥하면서 가난을 벗어나 세계 최고의 교회를 성장시키고 선교사를 가장 많이 파송하는 나라가 되었고, 작은 섬나라 피케언은 애덤스에 의해 성경을 읽기 시작하면서 술과 학살의 분위기에서 행복과 평화의 섬이 되었다. 마르틴 루터는 성경 번역을 통해 종교개혁을 일으켜 가난한 평민이 만인 제사장 교리를 듣고 삶을 바뀌었고, 칼빈은 삶의 모든 영역에서 하나님을 삶의 주인으로 모시면서 제네바와 스위스를 바꾸어 놓았고, 지금의 민주주의와 자본주의를 형성하는데 크게 기여하였다.

성경이 개인과 민족과 국가를 변화시키고 축복을 주는 이유는 첫째, 하나님은 질서와 평화와 구원의 진리이며, 둘째, 인간은 하나님의 형상을 따라 창조된 평등하고 소중한 존재이고, 셋째, 인간은 변하지 않는 진리를 따라 살아야 할 책임이 있다는 것을 말해주기 때문이다. 즉 부한 나라와 가난한 나라의 차이는 이러한 성경에서 말하는 3가지 원리를 지키느냐 안 지키느냐의 차이이다. 혹시 이러한 성경의 능력에 예외가 있는 것 같지만 실제는 그렇지 않다. 예를 들어 일본이 기독교 국가가 아닌데 부한 나라가 된 데에는 삶의 선교사였던 보이스의 노력과 과거로부터 그들의 문화가 정직하게 재물을 다뤄왔다는 성경 원칙을 따랐기 때문임을 알 수 있다. 또 아프리카가 일찌감치 선교사로 복음이 전파되어 약 70%가 기독교인이 되었지만 가난과 전쟁과 에이즈 등으로 고생하는 이유는 선교사들이 복음은 전했지만 성경대로 사는 방법을 가르치지 못했기 때문이다. 또 기독교 식민지였던 라틴 아메리카가 하나님의 축복과 자유를 누리지 못한 이유는 그들의 기독교에 이슬람 정신과 세계관이 내재되어 기독교에 이방 종교가 혼합되어 하나님의 말씀이 없기 때문이다.

모든 성경은 하나님의 감동으로 된 것으로 교훈과 책망과 바르게 함과 의로 교육하기에 유익하니 이는 하나님의 사람으로 온전하게 하며 모든 선한 일을 행할 능력을 갖추게 하려 하신다는 말씀처럼 성경이 내 삶과 가정과 이웃과 국가를 변화시켰던 사실을 확인하게 된다.

신앙적 가치의 교육, 신앙 교육

그러면 기독교 세계관을 우리 아이들에게 어떻게 가르칠 것인가? 어려서 아이들은 부모의 말씀이 진리로 알고 잘 따른다. 세상 지식을 배우면서 반기를 들을 수도 있지만 부모가 언행이 일치하여 바른 가치관으로 일관되게 교육하면 반대할 이유가 없다. 부모가 기독교 세계관으로 무장하고 그 가치의 근거가 확실하고 또 정직하게 그 가치대로 살려고 애를 쓰면 아이들은 부모를 보고 배우게 될 것이다. 신앙 생활을 하는 가정에서 부모가 기독교 세계관대로 살려는 말씀의 근거를 살펴보고자 한다.

첫 번째 말씀은 "여호와를 경외하는 것이 지혜의 근본이요 거룩하신 자를 아는 것이 명철이니라"(잠9:10, 잠1:7)이다. 우리는 세상의 지식을 얻어 똑똑하고 잘 나가면 성공하리라 기대하지만 어른이 되어 성공도 못하고 행복하지도 않다는 것을 깨닫게 된다. 그러나 하나님을 믿어 세상의 모든 만물이 하나님께로부터 나왔다는 것을 인정하고, 경건히 그를 바라면 지혜로워지고 행복을 얻을 수 있다는 것을 알게 된다. 지혜란 하나님께 대한 신앙이며 믿음의 통찰력이고, 명철이란 깨닫는 것, 이해력, 분별력, 통찰력, 창의력을 말하기 때문이다. 성경은 지혜있는 자를 책망하면 그가 너를 사랑할 것이고, 교훈을 더하면 그가 더욱 지혜로워질 것이요, 그를 가르치면 그의 학식이 더할 것이라 하였다.

두 번째 말씀은 "내 아들아 네 아비의 명령을 지키며 네 어미의 법을 떠나지 말고 그것을 항상 네 마음에 새기며 네 목에 매라"(잠6:20)이다. 요즘 아이를 잘 키우는 방법으로 할아버지의 재력, 아빠의 무관심, 엄마의 정보력이라는 우스갯 소리가 있다. 아이들 양육을 주로 엄마가 담당하다 보니 아이의 지식 교육은 학원이나 타인을 통해 어느 정도는 가능하나, 아이의 성품과 신앙 교육에는 힘에 부친다. 그래서 좋은 대학과 직장은 갈 수 있어도 행복한 삶을 살기에는 부족함을 느낀다. 자녀를 키우는 부모의 역할은 성경 말씀대로 아비는 아이에게 명령하고 훈계할 수 있어야 한다. 가정에서 아비는 왕같은 제사장 역할을 해야 한다. 즉 하나님 섬김의 모범이 되고 가정을 책임지는 바른 리더십을 가져야 한다. 또 성경 말씀대로 어미는 법을 가르침에 하나님을 섬기는 일과 아이 양육에 일관성을 가지라는 말이다. 세상 요구에 이랬다 저랬다 하지 않고 하나님 말씀을 정직하고 성실하게 지키라는 것이다. 우리 아이들이 아비와 어미의 하나님 경외하는 것을 따라 배우며 마음에 새기도록 하는 것이 부모의 역할이다.

세 번째 말씀은 "자녀들아 주 안에서 너희 부모에게 순종하라 이것이 옳으니라 네 아버지와 어머니를 공경하라 이것은 약속 있는 첫 계명이니 이로써 네가 잘되고 땅에서 장수하리라"(엡 6:1-3)이다. 자녀가 부모에게 순종하기를 바라지만 그러기 전에 부모는 자녀를 노엽게 하지 말고 주의 교훈과 훈계로 양육해야 하는 것을 전제(엡6:4)로 한다. 즉 아이가 부모를 공경하고 순종할 수 있도록 부모가 먼저 하나님께 순종해야 한다. 상황에 따라 선택과 판단이 달라지는 것이 아니라 마음으로 하나님을 경외하고 행동으로 하나님을 섬기는 삶을 자녀들의 눈으로 보고 배울 때, 부모에 대한 존경심과 공경심을 갖게 되고 이를 바탕으로 순종하고 효도하게 될 것이다. 항상 마주하며 자신의 삶을 여과없이 공개할 수밖에 없는 가족 안에서 자녀들에게 언제나 경건한 삶을 보이는 것은 불가능하다. 그러기에 오랜 신앙적 습관과 신앙적 자기 관리는 매우 중요하다. 믿음 안에서 부모가 되는 게 그리 쉽지는 않겠지만 기독교 세계관을 갖고 매사에 하나님을 인정하며 생활한다면 그 말씀에 순종하는 것은 단순하고 쉬운 일이 될 것이다.

신앙적 가치의 실천, 이스라엘의 지혜

하나님이 창조하신 인간이 죄를 지어 에덴에서 추방되고, 노아 홍수로 벌을 받고, 바벨탑 사건으로 세상에 흩어지게 되었지만 하나님은 인간의 구원을 위해 아브라함을 통해 한 민족을 선택하여 그들의 역사 속에 자신을 나타내신다. 즉 하나님의 구원의 역사에 유대인을 사용하셨다. 물론 지금의 유대인들은 전 인류 구원을 위해 이 땅에 오신 예수를 구세주로 인정하지 않지만 과거 구약 시대에 하나님의 말씀을 지키고 그대로 살려고 애쓰던 민족이었다. 그래서 구약 성경의 율법대로 살려고 애쓰고 말씀을 지키고 가르치면서 신앙적 가치를 실천함으로 세계 역사 속에 특별한 위치를 차지하였다. 기독교에서 말하는 구원자 예수를 십자가에 못 박은 잘못으로 로마에 의해 박해를 받다 민족이 사라지고 전 세계로 흩어져 각 지역과 각 시대마다 박해의 대상이 되어 큰 고난을 겪었지만 이제 이스라엘이라는 한 나라를 건국해 세계적으로 영향력을 끼치고 있다.

유대인은 혈통과 종족 개념의 공동체가 아니라 문화와 신앙 개념의 공동체이다. 유대인 부모가 낳았기 때문에 유대인이 아니라 그들의 전통인 토라와 탈무드를 실천하고 안식일을 지키는 문화를 가졌기 때문에 유대인인 것이다. 그래서 유대인의 자녀 교육은 생존과 번영을 위한 도구이기도 하지만 자신들의 문화를 이어야 하는 사명이기도 하였다. 이들이 가르치는 교과서인 토라는 모세오경이고, 탈무드는 이를 가르치기 위해 전승된 해설서이다. 또한 부모가 직접 대화와 토론을 통해 자녀를 가르친다. 부모가 매일의 삶에서 모범을 보이고, 식탁에서 계속되는 질문과 인내심을 갖은 답변, 칭찬과 격려를 통해 자녀로 하여금 생각하고 실천하고 자부심을 갖게 가르친다. 아이들에게 학교에서 선생님께 무엇을 질문했는지를 확인하는 것이 부모의 역할이다. 이를 하브루타와 토론이라고 한다. 유대인들은 어디서나 서로 짝을 지어 계속적인 질문을 통해 토론하며 공부한다. 토론을 통해 경청과 논리적인 표현을 배워 창의적인 생각을 이끌어 내고 지식보다 지혜를 가르치게 한다.

이러한 유대인은 오랜 역사와 지혜를 바탕으로 1948년 이스라엘을 재건하였고, 이후 6차례의 중동전쟁을 거치는 과정에서 하드웨어 강대국(대량 무기 체제)이 아니라 소프트웨어 강대국(과학적 무기 체제)으로의 변신을 갖추게 되었다. 이스라엘 지혜의 첫 번째는 도전정신이다. 어릴 때부터 실패를 경험하게 하여 실패가 두렵지 않고 뭐든지 도전할 수 있는 힘을 키워주었다. 두 번째는 참신한 아이디어이다. 어려서부터 토론을 통해 창의력을 배우고 고등학교를 졸업한 남녀학생들 중 엘리트들이 엘리트 부대(8200부대, 기술사관학교, 정보부대 등)에 들어가 보통 남자 3년, 여자 2년의 군복무기간과 관계없이 9년을 복무하면서 기술과 아이디어를 배운다. 엘리트부대의 한 에피소드이다. 한 여학생이 여름방학 과제로 중동국가의 공격에 대비하기 위해 이스라엘 하늘 전체에 지붕을 덮는 아이디어를 내어 최고의 등급을 받았는데 현실에 반영하지 않자 국민성금을 모아 방안을 찾게 하여 이루어진 것이 사드였다고 한다. 젊은이들의 상상력이 과학적 바탕을 근거로 현실적 국방력을 강화시킨 한 예이다. 셋째는 창업 정신이다. 작은 나라에서 살길은 1,2,3차 산업이 아니라 ICT를 기반으로 하는 미래형 일자리를 만드는 것이었다. 이로 인해 세계 글로벌 기업가인 나스닥에 미국, 중국을 이어 이스라엘이 96개 상장으로 3위를 차지하고 있다. 기억의 반대는 망각이 아니라 상상이다. 지난 1,2,3차 산업은 이미 있는 원료를 가지고 일을 만드는 것이지만 4차산업은 없는데서 유를 창조해 내야 하기에 상상력이라는 재료를 가지고 일을 만들어 냈다.

가정에서 모범을 보이고 구약 성경 말씀대로 살아온 유대인의 부모들에 의해 자녀들에게 전수된 신앙적 가치는 지혜를 낳아 세계를 이끌어가는 리더들을 키우고, 더불어 커다란 축복을 받게 되었다.

신앙적 가치의 정신, 칼빈 정신

우리가 성경이 기독교 세계관의 바탕이라고 하지만 성경을 제대로 읽고 해석하기란 그리 쉽지 않다. 그래서 사도 바울에 의해 정리된 사도 서간문이 기독교 사상을 체계적으로 전해 주었고, 종교개혁 당시 칼빈이 기독교 강요라는 책을 통해 성경의 바른 해석을 제공해 주었다. 성경이 말하고 있는 기독교에 대하여 창조주 하나님, 구속자 예수 그리스도, 성령을 통한 은혜의 수단을 설명하고, 실제적인 삶에 적용하는 현대 자본주의에 대하여 잘 해설해 주고 있다. 칼빈의 가르침을 정리한 소교리 문답 1문인 기독교인의 삶의 목적이 무엇인지에 대하여 '하나님을 영화롭게 하고 그를 영원토록 즐거워하는 것이다'라고 하였다. 칼빈이 말한 기독교 세계관이 무엇인지 구체적으로 살펴본다.

중세 천년동안 교황 중심의 비성서적 카톨릭 교리에 반동하여 개혁을 일으킨 루터와 칼빈은 하나님의 은혜로만 구원을 받을 수 있고, 그 은혜를 얻는 수단은 도덕적인 행동이 아니라 하나님과 예수님을 믿는 것이라 하였다. 그 가운데 칼빈의 예정론은 인간이 전적으로 부패해서 구원을 받을 만큼 의롭지도 의를 선택할 자유조차 상실했기 때문에 개인이 구원을 받을 수 있는가 없는가는 전적으로 하나님의 결정에 달렸다고 하였다. 예정론에서 중요한 것은 구원이 하나님에 의해 미리 결정되었다는 것이 아니라, 구원이 사람의 자유의지의 선택에 의해 결정될 수 없고, 다만 하나님의 자비로운 은혜에 의해서만 가능하다는 논리이다. 이렇게 하나님의 절대주권을 강조하는 하나님 중심 사상은 사람의 구원, 교회의 역할, 국가의 운영, 인간의 경제 활동과 사회 활동의 목적이 모두 하나님의 영광을 위한 도구가 되기 위함이라 말하고 있다.

그래서 칼빈의 경제관인 직업 소명론은 유럽의 기독교 국가를 통해 현재 우리가 사는 민주주의와 자본주의에 지대한 영향을 미쳤다. 칼빈은 사람이 가진 모든 것은 자기의 것이 아니라 하나님의 것이며, 모든 소유는 다른 사람을 섬기기 위한 것이기 때문에 다른 사람에게 손해를 끼치거나 불편하게 사용하면 안 된다고 하였다. 즉 부자가 하나님으로부터 풍성한 소유를 얻었으면 다른 사람이 굶도록 내버려 두어서는 안 되며, 다른 사람의 것으로 자신의 부를 축적해서도 안 된다는 뜻이다. 하나님께서 부자에게 재산을 허락한 것은 가난한 사람의 종이 되기 위함이고, 부자와 빈자가 같이 살게 한 것은 그들이 같이 만나서 주고 받도록 하고자 함이라고 하였다. 그래서 아무도 자기 재산이라고 해서 자기 향락을 위해 마음대로 사용할 권리가 없으며, 너무 많은 재산은 그 자체로 위험하기 때문에 부의 축적에 절제가 필요하고 욕심에 이끌려 너무 열심히 일하는 것도 마음의 병이라고 비판하였다. 또한 교회가 영적으로 부유하게 되는 것은 교인들이 각각 다르게 가지고 있는 은사를 서로 나누기 위함이고, 사람마다 다른 능력을 가지고 있으므로 교회란 공동체가 각각의 능력을 공적 이익을 위해 사용하고 모두에게 서로 덕이 되어야 한다고 하였다. 그래서 칼빈은 누구보다 더 열심히 일할 것을 권하였고, 열심히 일하면 쓸데없는 생각을 하지 않고 영적으로도 유익하다고 하였다. 이것이 칼빈의 정신인 청지기 사상이다.

칼빈의 하나님 절대 주권 사상이 인간의 기본 가치와 인간의 평등을 보장해 주는 기초가 되었지만, 이후 사람들은 과학의 발전을 핑계 삼아 하나님의 존재를 부정하게 되었고, 하나님 자리에 인간을 올려 놓아 인간의 가치를 절대화시키고, 인간은 모든 것을 다 할 수 있는 전능자가 되어 무한 발전할 수 있을 것으로 기대하였다. 이렇게 하나님을 인간 사회로부터 쫓아낸 것이 세속화요, 세속화가 바로 인간 역사의 특징이다. 그러나 하나님을 쫓아낸 자리에 인간, 이데올로기, 물질, 쾌락이 자리한 세속화의 결과는 인간성 상실과 허무, 전쟁과 투쟁, 혼돈과 무질서가 되고 말았다. 그러기에 이제 다시 칼빈 정신을 바탕으로 한 하나님 중심의 기독교 세계관을 회복해야 할 때이라고 생각한다.

신앙적 가치의 명령, 세상의 회복

성경은 죄로 말미암아 모든 것이 원래의 모습을 잃고 망가졌다고 말하고 있다. 하나님과 닮은 형상의 인간은 하나님과 멀어져 더 많은 죄를 짓고, 살기 좋은 자연은 파괴되어 인간이 살아가기 힘든 환경이 되고 말았다. 더 나아가 하나님의 자리에 인간이 앉아 하나님의 역할을 인간이 대신하여 인간의 발전을 위해 자연을 정복하고 개발하면서 더 나빠진 자연 환경을 만들고 말았다. 신앙적 가치를 가진 기독교인들이라면 죽어가는 인간과 파괴되는 자연을 보면서 하나님이 원래 창조하신 모습으로 회복시켜야 하는 책임감을 가져야 한다. 왜냐하면 하나님께서 말씀을 통해 하나님과의 관계 회복과 살기 좋은 자연 환경의 회복을 명령하셨기 때문이다. 우리가 믿는다는 것은 회복을 꿈꾸는 것이고, 우리의 사명은 회복을 위한 자기의 역할을 찾는 것이다. 멀리 인간 최초의 모습에 대한 회복은 신학적인 문제라 차치하더라도 지금 현재 세속화된 기독교를 회복하는 문제에 대하여는 한번 생각해 볼 만하다.

현재 교회 속에 들어온 세속화의 예를 든다면, 첫째, 개인적 성경 해석을 바탕으로 예배당 건축을 성전 건축이라 하여 웅장한 교회를 짓거나, 공의의 하나님보다 사랑의 하나님을 좋아하여 세상적이고 기복적인 복을 복음이라 가르치는 것이다. 둘째, 기독교가 삶의 방식이 아닌 하나의 종교로 여겨 기독교인이 세상에서 살아가는 방법은 가르치지 않고 교회 중심의 의식과 활동과 지기들만의 단합을 강조하고, 이웃을 돌보는 사회적 책임을 소홀히 하고 있는 것이다. 셋째, 교회와 세상을 구별하는 이원론적 사고로 교회만을 중시하여 교회 안의 예배와 기도와 전도만을 열심이고 세상과의 관계를 경솔히 하여 직장 생활, 가정생활, 자녀 교육 등에 실패하고 있다는 것이다. 이제 이를 회복하기 위해 세상의 모든 것은 하나님께 속한 것이라는 신앙관을 가져야 한다. 즉 구원은 개인에 그치는 것이 아니라 세상을 향한 회복이고, 가정과 직업은 경건한 삶과 연결된 하나님의 소명이며, 삶의 영역에서 하나님의 통치와 주권을 인정하여 말씀을 삶에 적용하며 하나님 나라를 확장하려는 사명을 갖는 것이다. 이를 위해 하나님의 명령에 순종하여야 한다.

첫째는 창1:28의 "하나님이 그들에게 복을 주시며 이르시되, 생육하고 번성하여 땅에 충만하라. 땅을 정복하라. 바다의 물고기와 하늘의 새와 땅에 움직이는 모든 생물을 다스리라 하시니라"는 문화 명령인 삶을 위한 명령에 순종하는 것이다. 즉 자녀를 낳아 생육하고 번성하는 것, 땅을 정복하고 다스리는 것

(정복은 파괴가 아니라 하나님의 청지기적 섬김을 말함), 하나님이 우리를 부르신 소명을 감당하는 것, 예수님을 통해 타락한 인간의 죄 문제를 회복하는 것이다. 둘째는 마28:19의 "그러므로 너희는 가서 모든 민족을 제자로 삼아 아버지와 아들과 성령의 이름으로 세례를 베풀고 내가 너희에게 분부한 모든 것을 가르쳐 지키게 하라"의 지상 명령에 순종하는 것이다. 예수님의 마지막 명령의 핵심은 제자를 만드는 것이다. 즉 하나님의 뜻을 유지하고, 세상을 보는 눈을 갖고, 하나님이 기뻐하시는 삶을 살아 다른 사람들도 같은 삶을 살도록 이끌어 주는 것이다. 이는 교회 안에서의 예배와 전도에만 국한된 명령이 아니라 기독교인의 삶 전체에 관한 명령이고 하나님 나라 시민의 삶에 대한 명령이다. 그러기에 기독교인들은 세속 문화에 대해 삶의 현장 가운데 변혁하고 바꾸는 역할을 해야 한다.

가치관의 적용, 신앙적 가치의 삶

기독교 세계관의 가치가 형성되고 어른이 되었으면 일상의 삶에서 신앙적 가치의 생각과 행동이 드러나야 한다. 기독교 가치의 우선은 나의 생각 속에 하나님이 계시는 것이고, 또 하나는 나의 행동이 하나님과 동행하는 것이다. 그렇다면 내 생각 속에 계신 하나님이 누구신지, 그분이 나를 통해 어떤 역할을 하시는지 알아야 한다. 우리는 기독교의 하나님을 표현하는데 삼위일체 하나님이라고 한다. 삼위일체란 성경에 나타난 하나님을 표현한 인간의 말이다. 그래서 삼위일체를 바로 이해하여 가르쳐줄 수 있는 사람은 아무도 없다고 한다. 우리가 믿을 때 하나님을 믿는 것인지, 예수님을 믿는 것인지 잘 모를 때가 있다. 또 삼위일체 세분이 어떤 역할을 하는지 하나씩 떼어내면 알 것 같은데 또 그렇지도 않다. 삼위일체 하나님이 나와 무슨 관계가 있는지 나의 경험을 이야기해보려고 한다.

나는 어려서 믿음을 처음 가질 때 나의 믿음의 대상은 하나님이었다. 어른들이 하나님을 믿어야 한다 했고 또 보이지 않지만 우리를 창조하신 분으로 당연히 순종해야 하는 것으로 이해하였다. 그러다가 주일학교에서 예수님에 대해 많이 듣고 배우면서 나의 믿음은 예수님이 더 가까워졌다. 그러다가 청소년 시기 부흥회마다 성령 받으라는 말을 들으며 성령을 알게 되었고, 그 성령님은 이상한 능력을 행하는 힘으로 이해하였다. 그러다가 대학 때 성경 공부하며 삼위일체 하나님의 역할에 대하여 하나님은 나를 창조하시고 나의 모든 것을 책임지시는 아버지 같은 분으로, 예수님은 나의 죄를 사하시며 부활의 능력을 주시므로 막연한 하나님을 실제로 믿을 수 있게 도와주는 친구 같은 분으로, 성령님은 내 마음에 항상 함께하면서 방향을 잡아주고 지혜를 주시고 말씀하시고 삶의 능력을 주시는 선생님 같은 분으로 이해하면서 하나님이 한분으로서 나의 삶 전체를 인격적으로 인도하시는 하나님으로 인식하게 되었다. 이제 나는 나를 그대로 받으시고 사용하시는 인격이신 성령님을 좋아한다. 그분은 나로 하여금 하나님에 대하여 확신을 갖게 했고, 예수님을 영접하게 했고, 지금은 나에게 능력을 주셔서 나의 삶을 변화시키시고 내가 영적으로 살아가도록 힘을 주시고 계신다. 그분은 내 곁에 함께하시면서 항상 내게 말씀하신다. 아름다운 자연을 통해 하나님을 발견케 하시고, 나와 관련된 사건 속에서 깨닫게 하시고, 나와 함께한 믿음의 공동체 속에서 사랑과 은혜를 나누며 격려하시고, 기도할 때 생각과 지혜와 비전을 주시고, 말씀을 볼 때 깨달음을 주신다. 성령님이 나와 함께하는 목적이 처음에는 주님을 믿고 깨닫게 하는 것이었는데 이제는 삶의 현장에서 사람들에게 기쁨을 주고 덕을 베풀라고 하신다. 그래서 성령 충만하기를 간구하며 성령을 의지하며 살게 되었다.

그러면 나의 행동 속에 하나님이 동행하시는 삶은 어떤 것인가? 우리는 예수님만 믿으면 모든 것이 해결된다고 생각하지만 예수님을 영접하고 믿음의 기본을 배우는 것은 잠깐이고 세상 속에서 더 오랫동안 믿음 생활을 하면서 걱정거리가 더 많다는 사실을 깨닫게 된다. 가끔은 세상 문화를 극복하는 것이 시험이 되고, 세상에서 착하게 사는 것이 왕따가 되어야 하는 경우가 많기 때문이다. 내 마음에 하나님의 나라가 임하기를 기도하지만 하나님의 나라가 임하고 나도 세상 속에 살아야 하는 상황에서 나를 통해 하나님의 나라가 발하도록 행하는 것이 믿음의 행실이고 이를 실천하기 위해서 다음과 같은 태도가 필요하다고 생각한다. 첫째는 성경이 가르치는 위로 하나님의 사랑과 옆으로 이웃 사랑을 실천하는 것이다. 하나님을 믿어 하나님 사랑만 강조하다 보면 수도사가 되어야 한다. 레위기와 에베소 말씀에 하나님 섬김과 함께 이웃 섬김에 대해 아내와 남편과 자녀와 종에 대한 말씀이 나온다. 알지도 못하는 사람에게 잘하기에 앞서 내 가족부터 챙기는 것이 이웃 사랑의 시작이다. 둘째는 일상의 삶에 감사를 통한 행복을 경험하는 것이다. 일용한 양식에 감사한다고 했을 때, 현재 보이는 맛나와 식품이 아니라, 이 식품이 식탁에 오르기까지의 모든 과정이 일용한 양식이라는 사실이다. 즉 농부의 식물 재배와 수확, 자연의 햇빛과 비와 온도, 유통업자의 운반과 택배, 그리고 엄마의 요리 등이 다 포함된다. 그래서 이제는 기도할 때 밥을 주셔서 감사함뿐만 아니라 이 밥이 되기까지 수고한 모든 사람들의 손길을 위해 기도할 필요가 있다. 셋째는 하나님 나라가 임하소서에 그치는 것이 아니라 하나님 나라가 발할 수 있도록 삶 속에서 변화를 실천하는 것이다. 많은 믿는 사람들이 말씀을 지식으로 받아 말씀대로 행해야 하는 것을 알면서 몸으로 실천하지 못하다 보니 말씀이 해석의 논리와 주장이 되어버려 말만 많아지고 싸우게 된다. 이제는 세상 속에 들어가 말씀대로 살도록 희생하고 헌신하고 행해야 한다. 예수님 믿으라고 말로만 전도하기 전에 나로 인해 주변 사람들이 행복할 수 있기를 기도하며 겸손하게 살피고 섬기고 희생한다면 그 행실을 보고 사람들이 예수님을 믿게 될 것이다. 넷째는 상대의 필요를 보고 배려하는 관점의 전환을 갖는 것이다. 우리는 나의 선택으로 상대를 정하여 전도하거나 내 입장에서 돕거나 가르치려한다. 누가복음에서 강도 만난 사람을 대하는 제사장과 레위인은 자기가 선택해 이를 멀리하였지만 선한 사마리아인은 상대의 필요를 보고 그 필요를 채우기 위해 자비를 베풀었다. 이러한 것들이 세상 속에서 성경적 가치를 실천하는 크리스천의 행동 지침이라고 생각한다.

Chapter 4

부르심을 아는 자녀로 키우기

신앙 생활을 하는 사람에게나 그렇지 못한 사람들에게도 하나님에 대한 확신을 바탕으로 그분의 말씀을 듣고 순종하는 믿음이 회복되었으면 좋겠다. 하나님을 알고 그분께 관심을 갖는 순간 내 인생에 커다란 변화가 나타난다. 그것은 나를 창조하신 하나님, 나의 주인이신 하나님과 영적 교제가 시작되어 하나님이 나를 통해 일하시기 때문이다. 그래서 자녀들과 함께 하나님이 나를 부르시고 나는 이에 응답하는 과정을 거치면서 어른이 되는 첫 번째 조건인 가치관에 대한 답을 찾을 수 있었으면 좋겠다. 내가 이 땅에 왜 태어났으며 내가 이 땅에서 해야 할 일이 무엇인지를 하나님 안에서 찾기 위하여 우리를 부르신 이유에 대한 말씀을 찾고, 부르심의 단계와 목적, 역할과 사례를 꿈과 비전, 사명과 연계하여 소개하고자 한다.

부르심의 근거, 하나님 말씀

우리 믿음의 근거는 성경 말씀이다. 특히 주님 안에서 삶의 목적과 사명을 깨달은 사람들은 말씀으로 은혜를 받은 자들이다. 성경에는 하나님의 부르심에 민감히 응답한 사람들의 이야기가 있어 귀한 부르심에 대한 말씀을 함께 나누고자 한다.

아브라함(창12:1-3, 인류의 구원을 위해 부르심)
"너는 너의 고향과 친척과 아버지의 집을 떠나 내가 네게 보여 줄 땅으로 가라. 내가 너로 큰 민족을 이루고 네게 복을 주어 네 이름을 창대하게 하리니 너는 복이 될지라. 너를 축복하는 자에게는 내가 복을 내리고 너를 저주하는 자에게는 내가 저주하리니 땅의 모든 족속이 너로 말미암아 복을 얻을 것이라"

모세(출3:5-10, 이스라엘 백성의 부르짖음에 부르심)
"이리로 가까이 오지 말라 네가 선 곳은 거룩한 땅이니 네 발에서 신을 벗으라. 이제 가라 이스라엘 자손의 부르짖음과 애굽 사람이 그들을 괴롭히는 학대도 내가 보았으니 이제 내가 너를 바로에게 보내어 너에게 내 백성 이스라엘 자손을 애굽에서 인도하여 내리라"

여호수아(수1:2-9, 가나안 입성을 위해 부르심)
"내 종 모세가 죽었으니 이제 너는 이 모든 백성과 더불어 일어나 이 요단을 건너 내가 그들 곧 이스라엘 자손에게 주는 그 땅으로 가라. 내가 네게 명령한 것이 아니냐 강하고 담대하라 두려워하지 말며 놀라지 말라 네가 어디로 가든지 네 하나님 여호와가 너와 함께 하느니라 하시니라"

이사야(사6:1-13, 이스라엘 심판을 위해 부르심)
"내가 또 주의 목소리를 들으니 주께서 이르시되 내가 누구를 보내며 누가 우리를 위하여 갈꼬 하시니 그 때에 내가 이르되 내가 여기 있나이다 나를 보내소서 하였더니 여호와께서 이르시되 가서 이 백성에게 이르기를 너희가 듣기는 들어도 깨닫지 못할 것이요 보기는 보아도 알지 못하리라"

베드로(마4:18-22, 유대인 전도를 위해 부르심)
"갈릴리 해변에 다니시다가 두 형제 곧 베드로라 하는 시몬과 그의 형제 안드레가 바다에 그물 던지는 것을 보시니 그들은 어부라 말씀하시되 나를 따라오라 내가 너희를 사람을 낚는 어부가 되게 하리라 하시니 그들이 곧 그물을 버려 두고 예수를 따르니라”

바울(행9:3-19, 이방인 전도를 위해 부르심)
“사울이 길을 가다가 다메섹에 가까이 이르더니 홀연히 하늘로부터 빛이 그를 둘러 비추는지라 땅에 엎드러져 들으매 소리가 있어 이르시되 사울아 사울아 네가 어찌하여 나를 박해하느냐 하시거늘 대답하되 주여 누구시니이까 이르시되 나는 네가 박해하는 예수라 너는 일어나 시내로 들어가라 네가 행할 것을 네게 이를 자가 있느니라 하시니 같이 가던 사람들은 소리만 듣고 아무도 보지 못하여 말을 못하고 서 있더라”

또한 성경에는 우리를 왜 부르셨는지 알려주는 말씀이 있어, 이 말씀을 통해 나를 부르신 이유를 찾을 수 있도록 말씀을 함께 나누고자 한다.

1. 시1:1 - **복 있는 사람이 되기 위해**
“복 있는 사람은 악인들의 꾀를 따르지 아니하며 죄인들의 길에 서지 아니하며 오만한 자들의 자리에 앉지 아니하고 오직 여호와의 율법을 즐거워하여 그의 율법을 주야로 묵상하는도다”

2. 요15:16 - 과실을 맺게 하기 위해

“너희가 나를 택한 것이 아니요 내가 너희를 택하여 세웠나니 이는 너희로 가서 과실을 맺게 하고 또 너희 과실이 항상 있게 하여 내 이름으로 아버지께 무엇을 구하든지 다 받게 하려 함이니라”

3. 롬8:28,30 - 합력하여 선을 이루기 위해

“우리가 알거니와 하나님을 사랑하는 자 곧 그 뜻대로 부르심을 입은 자들에게는 모든 것이 합력하여 선을 이루느니라... 또 미리 정하신 그들을 또한 부르시고 부르신 그들을 또한 의롭다 하시고 의롭다 하신 그들을 또한 영화롭게 하셨느니라”

4. 고전12:4-7 – 사람들을 유익하게 하기 위해

“은사는 여러 가지나 성령은 같고, 직분은 여러 가지나 주는 같으며 사역은 여러 가지나 모든 것을 모든 사람 가운데서 이루시는 하나님은 같으니 각 사람에게 성령을 나타내심은 유익하게 하려 하심이라”

5. 갈5:22 – 성령의 열매를 맺기 위해

“오직 성령의 열매는 사랑과 희락과 화평과 오래 참음과 자비와 양선과 충성과 온유와 절제니 이같은 것을 금지할 법이 없느니라”

6. 갈6:2,9 – 그리스도의 법을 성취하기 위해
"너희가 짐을 서로 지라. 그리하여 그리스도의 법을 성취하라. 우리가 선을 행하되 낙심하지 말지니 포기하지 아니하면 때가 이르매 거두리라. 그러므로 우리는 기회 있는 대로 모든 이에게 착한 일을 하되 더욱 믿음의 가정들에게 할지니라"

7. 엡2:10 - 선한 일을 위해
"우리는 그의 만드신 바라. 그리스도 예수 안에서 선한 일을 위하여 지으심을 받은 자니 이 일은 하나님이 전에 예비하사 우리로 그 가운데서 행하게 하려 하심이니라"

8. 엡4:11 - 봉사의 일을 하기 위해
"어떤 사람은 사도로 어떤 사람은 선지자로 어떤 사람은 복음 전하는 자로 어떤 사람은 목사와 교사로 삼으셨으니 이는 성도를 온전하게 하며 봉사의 일을 하게 하며 그리스도의 몸을 세우려 하심이라"

9. 빌2:13 – 주님의 기쁘신 뜻을 이루기 위해
"너희 안에서 행하시는 이는 하나님이시니 자기의 기쁘신 뜻을 위하여 너희로 소원을 두시고 행하게 하시나니"

10. 딤후1:9 - 주님의 뜻을 이루기 위해
"하나님이 우리를 구원하사 거룩하신 소명으로 부르심은 우리의 행위대로 하심이 아니요 오직 자기의 뜻과 영원 전부터 그리스도 예수 안에서 우리에게 주신 은혜대로 하심이라"

11. 벧전2:9 - 아름다운 덕을 선포하기 위해

"너희는 택하신 족속이요 왕같은 제사장들이요 거룩한 나라요 그의 소유가 된 백성이니 이는 너희를 어두운 데서 불러내어 그의 기이한 빛에 들어가게 하신 이의 아름다운 덕을 선포하게 하려 하심이라"

부르심의 단계, 구원 – 거룩 – 사역

"너희는 택하신 족속이요 왕같은 제사장들이요 거룩한 나라요 그의 소유가 된 백성이니 주의 아름다운 덕을 선포하게 하려 하심이라"(벧전2:9)

예수님을 믿고 난 후 그리스도를 닮아가려고 애쓰지만 너무 힘들다는 사실을 곧 알게 된다. 예수님처럼 사는 것은 사실 불가능하다. 혹은 그리스도인임을 드러내는 것, 매일 주님을 묵상하는 것, 사람들과의 관계에서 나를 죽이며 사는 것, 혹은 주님의 부르심에 순종하여 내 것을 버리는 것 등등. 제대로 실천할 수 있는 것이 하나도 없다. 그래도 그리스도인은 세 단계의 하나님의 부르심에 응답하여 바른 삶을 살도록 해야 한다.

먼저는 구원으로의 부르심(belonging)이다. 원래 모든 사람들은 하나님께 속해 있을 때 자신의 삶의 목적을 알도록 창조되었다. 그래서 하나님을 인정하지 않고 죄 중에 살고 있을 때, 하나님께서 나를 부르심으로 나에 대한 놀라운 계획과 사랑을 깨닫고 주님을 영접하게 된다. 즉 이런저런 이유로 주님이 부르실 때 주님을 영접하면 내가 주님께 속하게 되는 것이다. 둘째는 거룩함으로의 부르심(being)이다. 우리는 거룩하게 살도록 하나님이 특별히 부르신 귀한 존재이다. 주님을 알고 난 후, 작은 것에도 주님께 맡기는 것을 배우고, 순종하는 것을 배우고, 경건의 삶을 훈련하면서 주님 안에서 자신의 정체성을 나타낸다. 그래서 어디서나 그리스도인임을 드러내고, 사람들과의 관계에서 타인을 먼저 배려하면서 섬김의 삶을 살게 된다. 내가 행복해지기보다 나를 통해 주변의 사람들을 행복하게 하는 거룩한 삶을 살게 되는 것이다. 셋째는 사역으로의 부르심(doing)이다. 모든 성도들은 각자의 은사에 따라 하나님의 일을 해야 한다. 교회에서만 하는 일이 하나님의 일이 아니다. 우리 삶의 현장 모든 곳에서 주님의 일을 해야 한다. 하나님의 부르심에 응답하는 믿음 안에서 가정에서, 학교에서, 직장에서, 교회에서 주님의 일을 하는 것이다. 그 일은 단편적인 목표가 아니라 내 평생에 행하여야 할 삶의 방향이고 목적이다. 공부하고 취직하고 자녀를 키우고 봉사하는 이유의 답이다. 믿는 사람들이 교회에 모일 때 주의 일을 하고, 세상으로 흩어졌을 때도 주의 일을 해야 한다. 어떤 일을 하더라도 주의 일로 여기고 주님을 위해 일하는 것이다. 하나님의 부르심을 바로 알게 되면 그리스도를 닮아가게 된다. 그러면 항상 기뻐하고 모든 일에 감사하고 무슨 일을 하든지 주님께 하듯 하게 된다.

부르심의 요소, 영성, 인성, 재능

"그런즉 이제는 내가 사는 것이 아니요 오직 내 안에 그리스도께서 사시는 것이라"(갈2:20)

인간은 내면에 있는 영성과 인성과 재능이 한 인격으로 그 역할을 갖출 때 비로소 성숙된 믿음을 갖춘 어른이 된다. 그 중에 겉으로 드러나는 것은 10%의 재능(세상 관계)이나 잠겨있는 30%의 인성(인간 관계)과 60%의 영성(하나님 관계)이 더 중요하다. 뿌리인 영성이 깊이 내리면 줄기인 인성을 타고 재능의 열매를 맺고, 뿌리가 잘 크면 열매는 자동으로 열리기 때문이다.

영성은 하나님의 씨이다(요일3:9). 영성은 예수님을 영접해 거듭나고, 내 안에 성령이 계셔서 생명을 소유하고 예수님의 심장을 갖는 것이다. 성령으로 내 안의 정서를 자극하면 이성이 발달해 공부도 잘하게 된다. 영성은 하나님의 뜻을 분별할 줄 아는 능력이다. 인성은 관계를 잘하는 능력이다. 세상 고통에 반응할 줄 아는 능력이다. 세상의 아픔에 긍휼한 마음을 갖는 것이 인성이다. 인성이 바른 사람은 세상 문화와 세상 문제에 관심을 갖고 이를 해결하려는 의지를 갖는다. 하나님의 청지기가 되어 세상을 바꾸는 사람이고, 세상 문제를 해결하는 사람이고, 문화 변혁자(창26:26)이다. 하나님은 이러한 일을 잘하도록 재능을 주셨다. 재능(은사)은 성령을 통한 선물이다. 선물이기에 댓가를 받는 것이 아니라 그냥 나누어주어야 하는 것이다. 또 성령을 통하였기에 그분이 내게 그런 일을 할 수 있는 능력을 주신다. 그러니 내가 하는 것이 아니라 성령이 하시는 것이다.

세상 문화는 경제 중심의 욕망과 경쟁과 소비 법칙의 문화이다. 이를 극복해 평화를 회복하여 새하늘과 새땅을 실현하는 것이 우리 삶의 목표이고 목적이 되어야 한다. 세상의 가치관을 매슬로우의 욕구이론으로 말하면, 생존과 안전욕구, 소속과 자존욕구, 자아실현의 욕구이지만 하나님 나라의 영적 가치관은 하나님 나라(세상은 하나님이 주인이라는 믿음), 나의 정체성(나는 하나님의 자녀이고 하나님을 주인으로 인정한다는 고백), 소명(문화 변혁자, 문제 해결사로 부르심을 인식), 직업(나의 은사를 사용하는 곳에서의 청지기 역할), 하나님 나라 실현(나의 구원의 목적은 그의 나라와 그의 의를 구하며 세상을 변화시키는 peace maker 역할)이다. 나는 하나님의 선을 위해 지음 받은 바 되었고, 이제는 내가 사는 것이 아니요 내 안에 그리스도께서 사셔서 그 일을 행하게 하시나니 내 안의 성령님께 맡기고 주님만 따르면 된다.

부르심의 역할, 청지기

"각 사람에게 그리스도의 선물의 분량대로 은혜를 주셔 사도, 선지자, 목사, 교사로 삼으셨는데 이는 성도를 온전하게 하며 봉사의 일을 하게하며"(엡4:12)

목표는 방향(어디로 가야 하는가)을 묻는 것이고, 목적은 의미(왜 사는가)를 묻는 것이다. 서울대 총장이 똑똑한 학생들을 모아놓고 열심히 뛰라 했다. 열심히 뛰어 경쟁에서 이기라 했다. 학생들은 어려서부터 배운 대로 목표를 정해 열심히 뛰었다. 고등학교 때까지는 대학을 목표로 무조건 뛰었는데 대학생이 되었다 보니 조금씩 왜 뛰는지 의문을 가지며 목적을 찾기 시작한 것이다. 인생의 목적은 자기의 삶과 생활에 의미를 주는 것이다.

청소년 시기까지의 정체성은 주로 객관적 상황(부모의 능력, 외모, 개인능력)에 따라 형성된다. 그러나 청소년 시기에 정체성의 혼란과 극복(의미 부여와 생각)을 통해 자아상이 형성되고, 이후 50세까지 20대 의미와 생각을 바탕으로 삶을 영위해 간다. 공자도 15세(志學 - 배움에 뜻을 둠), 30세(立志 - 뜻을 세워 흔들림이 없음), 40세(不惑 - 남의 말에 유혹되지 않고 모르는 바가 없음), 50세(地天命 - 하늘의 뜻을 알고, 사람을 원망치 않음), 60세(耳順 - 경청을 잘하여 시비의 판단과 인품을 갖춤), 70세(從心所欲 - 언행과 사고에 과오가 없음)이라고 했다.

믿음 안에서 젊은 시절 하나님의 부르심을 듣고 순종하는 것이 삶의 목적을 깨닫는 것이다. 김대건 신부, 토마스 목사, 언더우드 목사는 젊었을 때 가치있는 것에 자신을 드렸던 사람들이다. 부르심에 순종하는 삶을 청지기 삶이라 한다. 청지기는 존재하는 모든 것의 소유주는 창조주 하나님이시고, 우리는 이 지상에서 사는 동안 모든 것을 위탁받아 관리하는 사람이다. 청지기직에는 첫째, 재능의 청지기이다. 즉 자신의 정체성을 알고 재능을 관리하고 드리는 사람이다. 둘째, 시간의 청지기이다. 자신에게 주어진 기회를 최대한 선용하는 것으로 인생은 얼마나 오래 사느냐가 아니라 얼마나 온전하게 사느냐를 중요시 여겨 시간을 유익하게 사용하는 사람이다. 셋째, 물질의 청지기이다. stewardship life(물질의 주인이 하나님이신 것과 물질이 하나님으로부터 왔다는 것을 인정하는 삶이다), simple life(모든 물질은 나의 필요를 채우기 위해 주신 것이라 주인을 위해 비용을 최대한 아끼고 절약하는 삶이다), giving life(하나님이 물질의 축복을 주시는 이유는 쌓아두라는 것이 아니라 남을 위해 베풀고 나누어주라는 뜻이다).

부르심의 회복, 관계 회복

"나는 포도나무요 너희는 가지라 그가 내 안에 내가 그 안에 거하면 사람이 열매를 많이 맺나니 나를 떠나서는 너희가 아무 것도 할 수 없느니라"(요15:5)

비전이나 사명은 나의 정체성을 아는데서 시작된다. 세상에서 말하는 인간의 정체성은 첫째, 인간은 물질이라 감각과 채움을 행복으로 여기고, 둘째, 소중한 것을 가져야 행복하기에 끊임없이 목표를 추구하게 되고, 셋째, 자신이 홀로 강인함을 갖추어야 하기에 연약하고 능력이 없으면 부끄러워한다. 그러나 성경에서는 인간을 첫째, 영적 존재이기에 영에 민감하고 만남 속에서 기쁨을 얻어야 하고, 둘째, 사람 그 자체가 소중한 존재이며, 셋째, 사람은 관계 속에서 살아가는 존재라고 인식한다.

하나님 나라는 관계 속에 임한다. 그래서 사람에게 일 잘하는 능력보다 관계의 능력이 중요하다. 십계명도 관계법(하나님 관계, 이웃 관계)이고, 이사야서에서의 새 하늘과 새 땅에서도 사자와 어린양이, 독사와 어린이들의 새로운 관계를 제시하고 있다. 결국 주의 일은 거룩한 관계를 맺는 것이고, 이것은 곧 비전이고 사명이 되어야 한다. 그래서 보통 사람은 무엇에 도달하는 것을 비전이라고 하지만 그리스도인은 도달한 후 거룩한 관계까지를 말할 수 있어야 한다. 즉 교사가 되기 위해 비전을 세울 때, 교사가 되고 난 후 어떤 일을 할 것인가를 확인해야 하는 것이다. 그래서 비전은 "누군가의(대상) 어떤 필요를(필요) 어떻게 채워서(기술) 어떤 세상(성질)을 만들고 싶은가"를 묻는 것이다. 직업은 하고 싶은 일, 돈 버는 일이 아니라 누군가의 필요를 채워주는 관계 속에서 갖는 전문적인 역할이다. 그래서 직업에 필요한 요소인 경영, 교류, 이익증대, 예술, 편리함, 자기표현, 쉼, 건강, 즐거움, 안전, 환경, 돌봄 등은 관계에 대한 요소들이 대부분이다.

세상의 비전은 갖고 싶은 것, 되고 싶은 것이다. 그러나 성경의 비전은 회복을 꿈꾸는 것이다. 그래서 사명은 회복을 위한 자기의 역할을 찾는 것이다. 사명은 하나님이 주신 선한 마음으로 어떤 대상이나 어떤 일을 대할 때 나만이 느끼는 짠한 마음이다. 다른 사람은 별로인데 나에게만 느껴지는 그것이 있을 때, 이것이 하나님이 주신 나의 사명이다. 그 사람의 어려움이 내게만 보인다면 돕는 것이 사명이다. 사명이 회복이라면 원래의 상태를 알아야 한다. 성경에서 말하는 원래의 아름다움을 본 사람만이 망가진 것을 회복할 수 있기 때문이다.

부르심의 방향, 핵심 가치

"너는 너의 고향과 친척과 아버지의 집을 떠나 내가 네게 보여줄 땅으로 가라. 내가 너로 큰 민족을 이루고 네게 복을 주어 네 이름을 창대하게 하리니 너는 복이 될지라"(창12:1~2)

우리나라 교육은 희망 고문과 인고의 착각을 강요하여 왔다. 달콤한 희망으로 노력을 강요하였고, 인고의 노력으로 보상받을 것을 기대하게 하였다. 그래서 허황된 꿈을 꾸며 막연한 성공을 기대했고, 지금 참고 희생하면 하늘이 알아서 줄 거라는 생각으로 자신의 미래를 위해, 자녀를 위해 헌신해 왔다. 어른들 말을 믿고 성실하고 열심히 노력했지만 그 결과는 생각보다 적다. 어른들은 이러한 삶이 잘못됐다고 말해주지도 않는다. 그리하여 반복적으로 막연한 노력과 투자로 인생을 낭비하고 탕진하게 된다. 평균 2억을 들여 대학을 나왔지만 별 것 없다. 2억을 들여 포크레인을 사고 사업했다면 더 큰 돈을 벌었을 텐데 아쉽다. 그러나 이미 흘러간 인생을 되돌릴 수는 없다. 사회 분위기도 자본주의를 무비판으로 받아들여 경쟁 속에서 성공에만 집착하게 만들었다. 그래서 청년의 8포시대, 세계 자살률 1위(하루 40명), 이혼율 1위, 출산율 최저의 나라가 되었다. 이제는 열심히 살고 빨리 이루려는 속도가 아니라 방향을 찾아야 할 때이다. 방향도 1,2등을 만드는 한 방향이 아니라, 각자의 재능에 따라 여러 방향으로 달리게 하는 방향이다.

캔 브랜차드는 비전을 이렇게 설명하였다. 첫째, 자신의 존재 목적을 인식하고(나는 누구인가?), 둘째, 미래 청사진을 갖고(나는 어디로 가고 있는가?), 셋째, 과정을 이끄는 핵심가치를 가져라(나의 우선순위는 무엇인가?). 그래서 디즈니랜드의 성공을 설명하기를 사람들을 행복하게 하고, 고객의 웃음을 들어와서 나갈 때까지 유지하게 하며, 안전, 친절, 공연, 효율성에 가치를 두어 고객을 대했다고 한다. 아브라함을 부르신 하나님의 말씀을 비전과 연관시켜 설명하면, 첫째, 존재 목적, '가라 그리고 복이 되라'(자신의 성공이 나와 친척과 고향 등 내가 원하는 곳이 아니라 하나님이 원하시는 곳, 가족을 떠나 내가 있는 곳에서 복이 되는 것이다). 둘째, 미래 청사진, '너로 인해 복을 얻게 될 것이다'(배우고 익히고 얻은 것으로 남들에게 베풀고 나눠주어 나로 인해 이웃이 행복한 것이 복이다). 셋째, 핵심 가치, '큰 민족이 되고(지위), 복을 받고(웰빙), 창대케 되며(명예), 남들로부터 보호받으리라(안전)'(우리가 복이 되어 하나님의 복을 주기 위해 기본 가치인 돈, 지위, 명예, 안전을 얻어야 한다. 복은 기복적이고 죄악이 아니라 하나님의 약속이고 삶이다).

부르심의 계획, 우선순위

"너희는 먼저 그의 나라와 그의 의를 구하라. 그리하면 이 모든 것을 너희에게 더하시리라"(마6:33)

현대의 바쁜 생활에서 여러 가르침 중에 "우선순위"라는 말을 많이 들었을 것이다. 나는 "우선순위"라는 말을 알게 된 후 내게 믿음의 행함을 정하는 중요한 가치로 살게 되었다. 하나님의 부르심을 받은 후 이것이 내 계획인지 하나님의 계획인지를 아는 것은 첫 단추를 잘 끼워 일의 성패를 정하는 중요한 일이 되었다.

이에 대하여 5만 번의 기도 응답을 받았다는 죠지 뮬러가 어떻게 하나님의 음성을 구별하는지를 통해 나를 통한 하나님의 계획을 알아 보고자 한다. 1) 처음에 저는 하고자 하는 일에 대하여 제 마음에 제 뜻이 한 치라도 남아 있지 않는 상태가 되기를 구합니다. 2) 이것이 된 후에 저는 제 느낌이나 감상에 결과를 맡겨 놓지 않습니다. 3) 저는 성령님의 뜻을 성경이나 성경과 관련해서 찾습니다. 성령님이 우리를 인도하시고 있다면 말씀에 있는 대로 우리를 인도하십니다. 4) 그 후에 저는 제게 주어진 환경을 봅니다. 이것은 하나님의 말씀과 성경과 관련하여 하나님의 뜻을 그대로 반영시켜 줍니다. 5) 저는 하나님의 뜻을 바로 가르쳐 주시기를 기도합니다. 6) 그래서 하나님께 기도하고 묵상함으로 제 마음이 계속 평안하고 두세 번 간구할 때까지도 계속 평안이 있으면 실천에 옮깁니다. 이러한 뮬러의 고백은 하나님의 뜻에 우선순위를 둔 믿음의 행동이었다. 요새 우리나라에서 살아가려면 바쁘게 살아야 하고 일 처리도 빨리빨리 해야 한다. "바쁘고 힘들어서 주를 위한 봉사나 주님의 일을 못하겠다" 하지 말고, 하나씩 정리해 나가면서 믿음으로 우선순위를 정했으면 좋겠다.

그래서 우선순위는 내 믿음의 표현이고, 내 가치관의 기준이며, 내 의지의 단면이고, 내 삶의 목적의 시작이기도 하다. 우리는 어리거나 젊은 시절에는 한 가지 일에만 전념하면 되었는데 나이가 들면서 여러 가지 일을 동시에 할 때가 많아지는 것을 자주 경험한다. 한 가지 일을 하다가도 생각지 않은 일이 생겨 이를 먼저 처리해야만 하게 되면 짜증이 나기도 한다. 또 주말이 되면 모임이 자주 겹친다. 하나를 선택해야 하니 다른 것은 포기해야만 한다. 우선순위가 정해지지 않고 일을 하거나 선택해야만 하게 되면 정신과 마음이 흐트러진다. 그래서 일의 순서를 정하고 바른 것을 선택하는 습관은 아주 중요하다. 그 때 그 순서를 정하고 선택하는 기준이 바로 하나님의 뜻을 묻는 것이고, "먼저 그 나라와 그 의를 구하게 하옵소서"라며 구하는 것이다. 그러면 기도가 풍성해지고 기도의 지경이 넓어지고 일의 진행이 순조롭게 된다. 우리가 삶에서 우선순위를 정해야 할 이유는 하나님의 일을 효율적으로 하기 위함이다. 우리는 하나님이 나를 통해 일하시도록 부르심을 받은 존재들이기 때문에 하나님의 일과 관계없는 것에는 하나씩 포기하는 것을 배워야 한다.

부르심의 목적, 사명

"너희를 어두운 데서 불러내어 그의 기이한 빛에 들어가게 하신 이의 아름다운 덕을 선포하게 하려 하심이라"(벧전2:9)

우리는 하나님의 부르심 앞에 자기 중심적인 질문을 하게 된다. 나의 목표와 꿈은 무엇인가? 그래서 많은 사람들이 자신을 위해 하나님을 이용한다. 우리는 하나님을 위해 만들어진 것이지 우리를 위해 하나님이 존재하는 것이 아니라는 사실과 삶이란 하나님 당신의 목적에 따라 우리를 사용하는 것이지 우리의 목적을 위해 그분을 사용하는 것이 아니라는 사실을 알아야 한다. 따라서 삶의 목적과 소명을 발견하기 위해 하나님의 말씀에 귀 기울여야 한다. 우리가 하나님의 뜻을 물을 때 이를 모르는 것이 아니라 우리가 하나님께 순종하지 않는 것이다. 하나님은 우리를 통해 일하시고 그의 성품을 닮게 하기 위해 우리를 부르셨기 때문에 순종하기만 하면 된다.

우리 삶의 목적이자 하나님의 부르심의 목적은 하나님의 예정하심(엡2:10)과 하나님의 은혜와 섬김을 위한 것이다. 그래서 아름다운 덕을 선포(벧전 2:9)하는 것을 사명으로 여겨야 한다. 즉 더 가진 것은 축복이 아니라 사명이며, 더 아픈 것은 고통이 아니라 사명이고, 더 설레이는 것은 희망이 아니라 사명이며, 더 많은 부담은 일이 아니라 사명이다. 우리는 사명을 다할 때까지 죽지 않는다.

하나님의 부르심은 하나님과 사랑의 관계를 맺고, 그분께 순종하며, 구속 사역에 동참하는 것으로 나타난다. 평범하지만 하나님 말씀에 응답하고 하나님의 뜻에 준비된 정직한 사람에게 특별히 말씀하시거나 깨달음을 주시고 책임감을 느끼게 하여 부르신다. 그래서 나의 일터에서 열심히 일하고 있을 때, 하나님이 나를 선택하여 부르신다는 사실이다. 세상 홍수 심판을 위해 노아를 부르실 때 노아는 방주를 만들었고, 애굽에서의 해방을 위해 모세를 부르실 때 모세는 양치기를 포기하고 바로 왕을 찾아갔고, 제자들이 고기잡이에 열심일 때 그 일을 포기하고 주님을 따랐던 것이다. 그리스도인의 현재 직업은 세상에서의 단순한 생계 수단이 아니라 하나님의 사역을 위한 일터인 것이다. 그래서 우리는 일상생활에서 말씀에 귀를 기울이고, 하나님이 일하시도록 내려놓으며 교회를 중심으로 지체들과 함께 연합하며 살고 있으면 된다.

그래서 우리는 무엇을(what)을 하며 사느냐, 얼마나 오래(how long) 살았느냐 보다, 어떻게(how)사느냐가 중요하다. 이는 인생의 목적과 삶의 방법과 평생 직업 등을 찾는 것보다 우리 삶 속에서 자신을 감추고 계신 하나님을 찾는 것이 중요하다는 뜻이다. 또한 왜(why)사느냐를 고민해 보는 순간 하나님께서 나를 이 땅에 보내 주신 삶의 이유를 알고 하나님께서 내게 주신 사명을 깨닫게 해주신다.

부르심의 결과, 소명 의식

> "모든 것을 해로 여김은 내 주 그리스도 예수를 아는 지식이 가장 고상하기 때문이라 내가 그를 위하여 모든 것을 잃어버리고 배설물로 여겼노라"(빌3:8)

우리는 하나님께 내가 할 일이 무엇인지, 또 내가 이런 것을 잘하니 이런 일을 하게 해달라고 기도드린다. 특히 자신의 직업과 할 일을 정해야 하는 청년 때 더욱 간절해진다. 그러나 하나님의 자녀가 되어 그 부르심을 이미 고백한다면 빌2:13의 "너희 안에서 행하시는 이는 하나님이시니 자기의 기쁘신 뜻을 위하여 너희로 소원을 두시고 행하게 하시나니"라는 말씀을 권한다. 즉 하나님은 우리에게 소원을 두셨고, 간절히 기도하는 가운데 하나님이 주신 소원을 찾으면 된다는 말씀이다. 그러면 하나님이 행하신다. 내 인생이 내 인생이 아니라 하나님의 인생이 되는 순간이다.

그러면 내가 하는 일의 목적은 무엇인가? 어떤 일을 하는가도 중요하지만 이 일을 왜 하며 어떤 목적으로 하는지를 아는 것은 내가 하는 일에 대한 하나님의 부르심을 아는 것이다. 이는 엡2:10의 "우리는 그의 만드신 바라. 그리스도 예수 안에서 선한 일을 위하여 지으심을 받은 자니 이 일은 하나님이 전에 예비하사 우리로 그 가운데서 행하게 하려 하심이라"라는 말씀을 권한다. 우리가 하는 일의 결국은 예수 안에서 선한 일을 해야 한다는 말씀이다. 이는 나의 직업이나 내가 하는 일이 하나님께 영광이 되고 타인에서 유익이 되어야 한다는 말이다. 그러면 일하는 과정에서 성실하고 정직하고 지혜롭게 행할 수 있다. 그러나 나의 노력과 나의 능력의 결과라고 생각하면 내가 만든 결실에 교만해지고 남들을 무시하게 된다. 최근 대학에서 정시 입학생들이 지역균형으로 입학한 친구들을 지균충이라 무시하고 있다고 한다. 나의 노력이 클수록 엘리트의식이 생기고, 남들과 구별하게 되고, 그렇지 않는 사람을 무시하게 된다. 그러나 고전12:4-7의 "은사와 직분은 여러 가지나 성령은 같으니 각 사람에게 성령을 나타내심은 유익하게 하려 하심이라"라는 말씀을 권한다. 우리 각자가 받은 선물은 다르나 한 성령에서 나왔으니 결국은 남들의 유익을 위해 사용하라는 말씀이다. 나의 능력을 내 노력이 아니라 선물로 받았으니 경쟁이 아니라 고마움으로 베풀 수밖에 없는 것이다. 내게 받은 능력과 은사를 선물로 생각할 수 있는 것이 소명의 첫 번째 응답이다.

그래서 우리가 하나님의 자녀가 되는 순간 벧전2:9 "너희는 택하신 족속이요 왕 같은 제사장이요 거룩한 나라요 그의 소유가 된 백성으로 아름다운 덕을 선포하게 하려 하심이라"과 요셉이 나중에 고백한 창50:20에서 "형님들은 나를 해하려 했지만 하나님은 그것을 선으로 바꾸사 오늘과 같이 많은 백성의 생명을 구원하게 하셨다"는 말씀처럼 이웃에게 아름다운 덕을 행하고 생명을 구하는 것을 소명으로 여겨야 한다.

부르심의 사례, 요셉의 축복

"저가 나를 사랑한 즉 내가 저를 건지리라, 저가 내 이름을 안즉 내가 저를 높이리라"(시91:14)

요셉의 꿈은 변함이 없었다. 요셉은 어려서부터 꾸었던 꿈이 무엇을 의미하는지 몰랐지만 그가 총리가 되어서야 알게 되었다. 내가 꾸는 꿈은 변하지만 하나님이 주신 꿈은 더욱 분명해진다. 어려서부터 하나님과 동행하며 꿈을 꿀 때 자신이 당하는 고난은 하나님이 나를 쓰시기 위한 섭리라는 사실을 알게 되어, 자신의 환경과 부모를 탓하지 않는다. 이런 과정에서 우리의 생각은 복잡하지만 하나님의 생각은 단순하고 직설적이기 때문에 하나님의 부르심이 있을 때 즉시 응답하면 된다. 결국 역사는 기도하고 준비한 하나님의 사람에 의해 움직이고, 하나님은 꿈으로 말씀하신다.

요셉의 고난은 하나님의 섭리이다. 99%의 고난에서 1%의 하나님 손길을 보여주심은 하나님의 간섭과 위로가 있다는 것이기에 고통의 원인을 찾으려고 애쓸 필요가 없다. 고난의 순간이 지나가면 알게 된다. 따라서 알 수 없는 고난 속에 나타난 하나님의 섭리를 보게 되면 이해하기 시작하고, 이해하게 되면 감사하게 되고, 감사하면 하나님이 하실 일을 기대하게 된다.

요셉의 삶은 하나님과의 동행이었고 부르심에 대한 응답이었다. 요셉은 항상 "내가 그리 하겠나이다"라고 대답하며 하나님이 쓰기 편한 사람이었다. 하나님 생각으로 가득 차 있어 순종하고 정직하고 순결하여 여호와께서 기뻐하신 사람이었다. 그래서 실력과 지혜를 갖추고 보디발의 재산을 관리하였고 감옥에서도 어려운 살림을 맡은 간수장이 되었다. 요셉의 표정은 비굴하지 않았고, 남에게 상처를 주지 않는 겸손하고 격려하는 태도였다. 보디발의 아내가 유혹하고 그 일로 감옥에 가더라도 끝까지 떳떳한 태도였다. 일을 쉽고 편하게 하고, 그가 있는 곳마다 만사형통함으로 복덩이가 되었다. 요셉은 하나님의 영에 감동된 사람으로 사물을 하나님의 관점에서 볼 줄 알았고, 하나님이 원하는 것을 행했고, 세상 사람들에게 필요한 사람이었고, 시대를 볼 줄 아는 통찰력을 갖춘 사람이었다.

요셉이 총리가 되어 7년 가뭄에 창고를 짓고 많은 생명을 구하고 식구들을 만나게 된 것은 하나님의 부르심의 결과였다. 축복은 인간이 소유하는 것이 아니라 하나님이 주시는 것이다.

축복은 하나님과 함께하는 것이기에 복을 가지려고 하지 말고 하나님을 소유하면 된다. 그래서 축복받는 일은 다른 사람을 축복받게 해 주는 것이다. 즉 하나님과 함께하는 복의 근원은 축복의 통로가 되는 것이다. 그래서 부르심은 하나님이 역사하심을 기다리는 것이고, 연단을 감사하는 것이고, 나로 인해 사람들에게 복을 주는 것이다.

부르심의 연습, 선교사적인 삶

> "좋은 소식을 전하며 평화를 공포하며 복된 좋은 소식을 가져오며 구원을 공포하며 시온을 향하여 이르기를 네 하나님이 통치하신다 하는 자의 산을 넘는 발이 어찌 그리 아름다운가"(사52:7)

선교사란 하나님의 부르심에 복음을 전하는 사람이다. 하나님께서는 세상을 정복하고 다스리라며 세상을 향한 문화 명령을 하셨다. 예수님은 가서 제자를 삼으라고 세상을 향한 지상 명령을 하셨다. 하나님을 믿고 주님을 내 삶의 주인으로 모시는 순간 그분의 명령에 순종해야 하는 것이 믿는 사람의 역할이다. 즉 세상을 향한 복음과 문화의 회복이고, 세상을 변혁시킬 복음의 전파이다. 최초의 선교사들은 예수님의 제자들이었다. 예수님을 직접 모시며 예수님의 죽음과 부활과 승천을 지켜봤던 제자들, 마가의 다락방에 모여 기도하는 중에 성령이 임하여 각기 다른 나라 방언으로 예수님을 믿으라고 전파하며 병을 고치고 기적을 행했던 제자들, 베드로는 예루살렘으로, 바울은 로마로, 야고보는 스페인으로, 도마와 바돌로매는 인도로, 마가는 이집트로 각기 선교사로 파송되어 주님의 복음을 전하여 그 복음이 지금 우리에게까지 전해지게 되었다. 우리나라에도 토마스 목사님의 순교와 성경 전달, 언더우드와 아펜젤러 목사님의 교회, 학교 설립과 성경 번역 등은 암울했던 조선에 새로운 빛이 되어 일제에 저항하는 능력이 되었고, 우리나라가 근대화되는 바탕을 이루었다. 하나님의 부르심에 응답해 자신의 생명과 물질과 시간과 능력을 하나님을 위해 사용했던 선교사들의 역할은 이 땅에 하나님의 나라를 회복하는 발판이 되었다. 신앙 생활하는 우리에게도 인생에서 선교사적인 삶을 연습하고 경험해야 할 필요가 있다.

선교사, 하면 주로 외국에서 복음을 전하는 것으로 이해할 수도 있지만 실제는 바로 자기가 살고 있는 곳에서 복음을 전하는 것이 선교사의 본분이다. 가장 먼저는 가정에서의 선교사이다. 배우자와 자녀들, 친척들에게 복음을 전하고 청교도적인 근검절약의 삶으로 하나님을 섬기고 가족을 돌보는 삶을 사는 것이다. 둘째는 학교와 직장에서의 선교사이다. 나의 삶을 통해 주변 동료들이 하나님을 보고 주님을 만나도록 돕는 것이다. 셋째는 교회에서의 선교사이다. 믿는 사람들 속에서 믿음의 모범을 보이고 섬김과 봉사를 통해 목회자를 도와 성도들을 섬기는 것이다. 넷째는 직접 사랑과 섬김을 실천하는 선교사이다. 우리 주변의 이웃 중 고아와 과부, 나그네를 섬기는 사역이다. 다섯째는 직접 복음을 들고 외국에 나가는 선교사이다. 복음이 필요한 곳, 나의 재능과 은사를 베풀 수 있는 곳, 하나님의 사랑과 주님의 능력이 필요한 곳으로 직접 나아가 섬기고 오는 삶이다. 이처럼 선교사는 자신이 있는 곳에서 하나님의 명령에 순종하며 나의 모든 것을 드려 복음과 사랑을 전하는 것이다.

Chapter 5

자녀에게 꼭 필요한 리더교육

하나님의 부르심을 받은 우리는 하나님이 처음 창조하신 모습으로 회복시키기 위해 세상을 바꾸고 변혁시키는 리더가 되어야 한다. 리더로서의 사명은 내가 믿는 하나님이 자신의 구원과 행복만을 위해 택한 것이 아니라 이웃을 섬기고 돌보라고 하는 사회적 책임을 위해 부르셨음을 깨닫는 것에서 시작된다. 그래서 자녀들의 성공을 바라고 잘 살기를 바라는 부모의 마음도 자녀 개인만이 잘 되는 것이 아니라 자녀를 통해 세상을 바꾸는 리더가 되기를 바라는 마음이 우선되어야 할 것이다. 리더는 타고난 것이 아니라 만들어진다는 사실을 알아야 한다. 그리고 공부 잘해 좋은 대학에 가서 좋은 직장을 얻으면 식구는 먹여 살릴 수 있어도, 남을 배려하고 섬김을 배워 성공한 사람은 세상을 먹여 살릴 수 있게 된다.

리더의 시작, 만남

우리나라에서 아이들에게 가장 힘든 시기는 중학생 때일 것이다. 중학교는 초등학교 때의 보호에서 벗어난 두려움과 서툼으로 혼란을 겪는 시기이고, 고등학교 가기 전 사춘기로 방황하는 시기이다. 이렇게 힘들 때 곁에 누가 함께 하느냐에 따라 아이들의 인생이 바뀔 수 있다. 독일의 관계 철학자 마틴 부버는 '모든 참된 삶은 만남이다'라고 하여 진정한 삶은 만남으로 시작된다고 하였다. 좋은 어머니 신사임당을 만난 율곡, 좋은 선생님 셜리반을 만난 헬렌켈러, 좋은 친구를 만난 마틴 루터 등은 젊어서 좋은 사람들을 만나 성공한 사람들이었다. 잘못된 만남을 가진 사람들(예를 들어, 묻지마 범죄를 저지른 사람들은 어린 시절 가정에서 버림을 받고 학교에서 교사들에게 무시를 당하여 어른이 되어 아무나에게 복수를 함)은 평생 큰 아픔을 갖고 살아간다. 생명이 있는 한 만남은 계속 되기에 사람들은 늘 좋은 만남을 꿈꾸고 그 만남은 우리에게 희망과 기쁨과 위로를 준다. 사람들은 만남을 통해 알게 모르게 영향을 주고받고, 만나는 사람을 닮고 본받아 변화하기 때문이다. 그래서 교육은 더욱 만남의 관계라고 할 수 있다. 이에 진정한 만남을 세 가지로 정리해 보고자 한다.

첫째는 예수님과의 만남이다. 청소년과 청년시절에 주님과의 인격적으로 만나게 되면 인생에 큰 개혁이 일어난다. 모든 것이 바뀐다. 살아가야 할 이유와 공부할 목표와 삶의 목적을 알게 되고 하나님 안에서 사명을 깨닫게 된다. 그래서 일마다 즐겁고 만나는 사람에게 선한 영향력을 끼치며 항상 결과가 좋다. 왜냐하면 일할 이유를 알고 항상 기쁘고 감사하며 성실하고 열심히 살기 때문이다. 나는 대학 때 주님을 만나 인생의 첫 단추를 잘 끼워 행복하게 살아왔다. 둘째는 사람과의 만남이다. 태어나서 부모님과 처음 만났기에 부모님의 말투, 행동, 성품을 닮게 된다. 그래서 나중에라도 자녀를 위해 좋은 부모님이 되어야 한다. 학교 다닐 때는 좋은 친구와 선생님을 만나야 한다. 그때 만난 그 친구들이 평생을 함께하고, 그때 만난 선생님 때문에 내 인생이 바뀔 수 있다. 믿음의 친구, 믿음의 선생님을 곁에 두었으면 좋겠다. 나는 40년 교직 생활을 하면서 좋은 제자와 동료 교사들, 그리고 믿음의 친구들을 얻었다. 지금도 내게 큰 힘이 되는 동역자들이다. 셋째는 책과의 만남이다. 우리는 모든 것을 경험할 수가 없다. 그래서 책을 통해 더 넓은 세상을 배우게 된다. 책을 많이 읽게 되면 내 삶에 영향을 끼친 문장과 상황들을 간직하게 된다. 책을 읽게 되면 새로 알게 되는 정보도 있지만 더 중요한 것은 그때마다 나의 마음을 휘어잡아 나의 필요를 채우고 결심하게 하는 것들이 있다. 그중 신앙 서적은 어떤 책이든 우리에게 감동을 주어 나를 더욱 겸손하게 하고 봉사하게 한다. 나는 6학년 때 우연히 슈바이처 전기를 읽고 그런 삶을 살아보려고 애썼고 그의 삶을 생각하면 지금도 가슴이 설레인다.

리더는 좋은 만남에서 시작된다. 리더들의 삶을 보면 한 번쯤 자신에게 시기 적절한 만남이 있었음을 소개한다. 어떤 사람은 부모에게서, 어떤 사람은 선생님에게서, 또 어떤 사람은 책에서 그러한 만남을 가져 인생이 바뀌었다고 말한다. 리더가 갖추어야 할 조건 중 남들과 다른 능력과 열정이 있지만 더 중요한 것은 성품과 인간성과 책임감이라는 도덕적 조건이다. 따뜻하고 순수한 긍정과 배려와 신뢰는 그의 인간미에서 나타난다. 정직하고 도덕적인 행동은 그의 성품에서 나타난다. 그런 바탕 위에 동료를 돌보고 어려운 사람을 돌보는 사회적 책임감이 나타난다. 이러한 성품과 인간미는 오랜 경험에서 축적되는데 삶의 가치를 가진 사람들의 행동과 말과 철학에서 얻게 된다. 아이를 리더로 키우고자 하는 부모라면 어려서부터 좋은 만남을 만들어 주는 역할을 해야 할 것이다.

리더의 모습, 2인자

요새 교육은 일등을 목표로 공부하게 가르친다. 학교 성적이나 대학의 서열이나 사회 진출을 해도 상위 그룹에 있어야 한다. 또 그래야 성공한다고 한다. 그것이 삶의 전체가 아닌데 여전히 경쟁 속에서 최고를 향해 노력한다. 그러다 보니 상위 그룹에 있던 아이들이 공부의 과정을 마치고 어렵게 얻은 직장에서 불만이 많아 참지 못하고 일찍 퇴사하는 경우를 본다. 개인의 욕구에 못 미쳐서, 생각보다 일이 힘들고 관계가 어려워서, 내가 기대한 직장이 아니라는 이유 때문이란다. 직장을 통해 새로운 삶의 즐거움과 행복을 가져야 하는데 여전히 일등을 못하고, 일등하면 행복할 거라는 생각에 사로 잡혀 불만 속에 인생을 살고 있다. 리더가 되기 위한 조건으로 1등이 아닌 2등의 마음으로 인간성을 강조하고 싶다.

우리가 만나는 공동체에는 항상 1인자가 있다. 학교에서는 담임 선생님이다. 교회에서는 목사님이다. 직장에서는 오너이다. 그리고 내 마음에서는 하나님이다. 그런 곳에서 내가 1인자, 1등으로 살 수 없다. 그러기에 항상 2인자의 자세로 생각하고 일해야 한다. 세상은 항상 1인자를 기억하지만 그의 성공 스토리 뒤에는 항상 1인자 같은 충성스러운 2인자가 있었다는 사실이다(빌 게이츠를 도운 스티브 발머, 워런 버핏을 보좌한 찰리 멍거. 현대의 정주영을 도운 이명박 등). 이들은 하나같이 같은 목표를 향해 열정을 다하고 헌신적으로 일했다. 성공한 오너는 2인자를 하인이나 졸개로 보지 않고 역할을 분담하는 창업 파트너로 대한다. 2인자는 리더의 성격을 파악하고 쓴소리를 할 수 있어야 하고, 리더보다 먼저 생각하고 멀리 내다보고 빠르게 움직여, 리더를 옳은 방향으로 유도해야 한다. 또 항공기 기장과 부기장이 운항 전 배탈이나 식중독을 예방하기 위해 완전히 다른 음식을 먹는 것처럼 리더와 2인자는 중요한 순간에 같은 오판을 하지 않도록 노력한다. 그래서 2인자는 리더의 부담을 덜어주고 내부의 조율과 정세의 흐름을 읽어 맥을 짚어주고, 중요한 결정을 앞두고 부작용과 역효과를 끊임없이 상기시켜 실수할 확률을 줄이는 임무를 맡아 기업을 성공으로 이끈다.

또 우리는 공동체에서 자기가 잘난 모습, 남들보다 잘한 모습을 보이고자 자신이 쌓아온 스펙과 능력을 제시하지만 공동체의 삶은 능력보다 인간 관계를 바탕으로 한 자신만의 이야기가 중요하다. 이는 전설(레전드)로도 나타난다. 누구든지 할 수 있는 일이 아니라 나만이 해낸 전설을 만드는 것이다. 학교에서 친구

간에 갈등이 생겼을 때 이를 선하게 해결하는 아이들, 남들에게 모함을 받거나 내가 잘못하여 왕따를 당했어도 좌절하지 않고 꿋꿋이 일어서는 사람들, 조직이 어렵고 위기를 당하였음에도 불구하고 실적을 이루는 사람들이 인정을 받는다. 거창고 직업 10계명을 한 문장으로 줄이면 전설을 만들 수 있는 곳으로 가라는 말이다. 한신이 고향에서 불량배 가랑이로 지나는 수치를 당하다가 유방을 도와 성공한 후 다시 불량배를 찾아 작은 벼슬을 주었다는 이야기에서 '나는 당시에 당신을 죽일 수 있었지만 천하통일의 큰 꿈을 이루기 위해 수치를 참았다. 그때 참지 못했다면 살인자로 도망 다니느라 힘들었을 것이다'라고 하였다. 한때의 수치와 어려움이 있어도 큰 꿈, 큰 목표가 있는 사람은 이를 참을 수 있다. 어려운 상황을 합리화하여 자신이 그럴 수밖에 없었다고 변명하고 이유를 대기보다 위기를 기회로 삼을 줄 아는 리더를 키워야 한다.

그러기 위해서는 세상을 이분법적으로 살지 말아야 한다. 이것과 저것을 흑백으로 결정하여 기회와 사람을 잃지 말고, 한 가지 일에 올인하다 건강과 재물을 잃지 않도록 해야 한다. 학생이 공부가 중요하다고 공부만 하다가 친구 사귐과 삶의 여유를 놓칠 수가 있다. 직장인이 회사에 올인하다가 식구들과 건강을 잃을 수가 있다. 주어진 일에 최선을 다하되 때마다 이루어지는 작은 행복을 놓치지 말아야 한다. 전남 곡성의 한 이장이 귀농자들을 면접할 때 당신은 우리 주민을 위해 무엇을(수지침, 악기, 미용 등) 해 줄 수 있는지를 물었다고 한다. 한 평생 회사에만 충성하고 올인하다가 남은 삶을 준비하지 못했다. 직장이 인생의 전부가 아니라 한 부분이라는 생각으로 틈틈이 자신에 대한 소중함을 간직하고, 때마다 자기 개발을 통해 또 다른 인생을 준비해야 한다.

나는 40년간 교직에 있으면서 학생들을 가르치고 관리자가 되어 교사와 학교를 돌보면서 틈틈이 내 것을 준비하였다. 아이들 방과후 활동 때 함께 플룻과 섹스폰과 클라리넷을 배우고 마술을 배워 주말에 양로원이나 요양원에 악기 공연으로 봉사활동을 다녔다. 퇴임 전에는 2년간 한방의 침과 뜸을 배워 주변의 아픈 사람들을 돌봐주고 이후에 캄보디아에 의료 봉사를 가려고 준비하고 있다. 지금은 1년간 국가 자격의 간호조무사 자격 공부를 하여 자격을 받아 의료 봉사에 활용할 것이다. 삶의 공동체는 하나님이 주신 터전이고 우리를 보내신 주님의 일터이다. 공동체 생활을 통해 만나는 사람들과 자신의 역할에 대해 하나님이 맡겨 주신 것이라 생각하면 즐겁고 감사하게 주님께 하듯 할 수 있다. 내게 주어진 공동체에서 성공을 위해서라기 보다 행복한 삶을 위해 일하고, 특히 2인자의 마인드로 일하면서 또 다른 인생을 준비하며 살아간다면 멋진 인생을 살 수 있을 것이다. 우리 모두는 믿음 안에서 리더인 예수님을 섬기고 자신의 윗사람을 섬기는 2인자이기 때문이다.

리더의 기본, 가치관

앞에서 어른이 갖추어야 할 덕목 중 제일로 가치관을 소개한 적이 있다. 보통의 어른에게도 자신의 정체성과 나아갈 방향이 필요한데 하물며 사람을 이끌어야 할 리더에게는 두말할 것이 없다. 한 가정을 이끄는 부모에게도, 작은 공동체를 이끄는 리더에게도, 더 큰 조직을 이끄는 리더에게도 분명한 철학은 아주 중요하다. 그 철학에 따라 조직이 운영되고 성과를 내기 때문이다. 요새처럼 힘들고 어려운 시기의 경영을 비유해서 파도와 암초를 지나야 하는 상황이라고 한다. 그 환경적 상황이 바뀌지 않는다면 조직의 가치를 바꾸어야 할 것이다.

기업을 경영하는 사람들은 리더의 자질을 주로 인간에 대한 이해라고 말한다. 인간 삶의 동기 부여는 동물적 욕구, 공포와 불안, 사랑과 가치에 의해 생기는데 그 중에 사랑과 가치가 욕구와 불안을 제어하여 인간을 움직이게 한다. 즉 인간은 그 사람의 가치관에 의해 모든 것을 결정하게 된다는 말이다. 직업을 선택할 때, 옳고 그름을 판단할 때, 배신할 것인지 따를 것인지를 결정할 때, 이 일 저 일을 결정할 때, 가치관은 일관성 있는 결정을 이끈다. 따라서 조직에서 조직원을 움직이려면 조직에 가치를 심어주어야 한다. 그래서 리더는 보이지 않는 가치관을 볼 줄 알아야 한다. 가치관은 '왜 사는가?'를 묻는 것이다. 즉 자신의 삶의 사명을 찾는 것이다. 그러면 '어떻게 할 것인지?'를 찾게 된다. 즉 일의 핵심 가치를 정하게 된다. 그리고 '무엇이 될 것인지?'의 꿈을 꾸게 된다. 즉 비전을 세우게 된다. 두 개의 발마사지 사업장이 있었는데 한 곳을 발마사지로 돈 버는 가치로, 다른 한쪽은 에너지 재창출하는 가치로 운영하였는데, 결국 직원의 결정 가치는 후자에게 전문성, 정성, 재미를 만들어 더욱 성공하게 되었다고 한다. 리더는 직원에게 월급을 주는 자가 아니라 의미와 보람을 주는 자이다. 세상에 우수한 직원은 없다. 조직에 가치관이 형성되면 직원들은 우수해진다. 인간은 오랜 경험을 통해 무의식의 세계에 나름의 가치를 저장해 놓았다. 그 대표적인 표현이 분노와 욱하는 것이라 한다. 직원들이 공통적으로 화를 내거나 공통적으로 존경하고 칭찬하는 것은 그 조직의 가치관이 생기고 함께 공유하고 있음을 의미한다. 중국의 알리바바가 고객 중심이라는 구체적인 가치를 설정하였다. 그로 인해 행동 수칙(경청과 반영)이 세워지고, 결국 그 결과로 보상과 고가 기준이 정해지면서 성장했다고 한다.

성경에서 바벨론에 포로로 붙잡혀 갔던 다니엘이 뜻을 정하여 하나님과 동행했을 때 80세까지 총리로 쓰임 받았다는 말씀이 있다. 다니엘처럼 뜻을 정하여 정진하고, 공동체 경영에 있어 가치관을 설정하는 것이 공동체를 이끌어가는 지름길이 된다. 공동체가 사명을 찾고 핵심 가치를 정하고 비전을 공유하도록 이끄는 것이 진정한 리더십이라 생각한다. 그래서 부모로서 아이들에게 어려서부터 올바른 것에 뜻을 정하게 하고 한 방향으로 나아가도록 가르치고 훈련하는 것은 부모의 리더십이다. 뜻을 정하고 나아갈 바를 정하는 것이 하루아침에 뚝딱 만들어지는 것이 아니기에 어떤 일을 선택하거나 결정해야 할 때마다 기도하면서 하나님께서 어떻게 말씀하는지를 기다리고, 선택한 결과 하나님께서 선하게 인도하셨음을 감사하며 하나님을 경험하도록 해야 할 것이다. 자기 주도성이 강하고 자기 결정력이 강할지라도 먼저 하나님 안에서 바른 선택과 결정을 할 수 있는 자세를 가질 때 나를 통해 하나님이 일하심을 경험하고 나를 통해 세상이 바뀌고 사람들이 평안하게 될 것이다.

리더의 성공, 착한 습관

우리는 멋진 삶의 결과인 성공한 사람들의 성공담을 듣곤 한다. 성공이 하늘에서 뚝 떨어지는 것이 아니라 꾸준한 내실을 통한 준비와 주변 사람들과 환경의 도움으로 이루어지는 개인 능력의 종합 선물 세트이기에 더욱 소중하게 여겨진다. 많은 사람들이 요행을 바라고 로또 같은 기적을 바라며 성공을 기대하지만 성공한 사람들의 뒷이야기와 사람을 이끄는 리더들의 내공은 자신의 노력과 요행이 아니라 차근차근 쌓아온 인격과 인덕으로 주변 사람들의 도움이었다는 고백을 많이 한다.

한 크리스천 기업의 CEO가 지은 책이 있다. "착한 사람들의 이기는 습관. 고맙습니다"이다. 그가 전하고자 하는 말의 요지는 어리석은 1등 대신 마음을 얻는 2등을 택하라는 말이었다. 성경에 너희가 선한 데 지혜롭고 악한 데 미련하기를 원하노라는 말씀처럼 베풀면 배가 되어 돌아오는 인생의 법칙을 알고, 사람 관계나 연애든 사업이든 눈 앞의 이익에 집착하지 말고 먼 미래에 투자하라고 전한다. 멀리 보고 투자하는 것이 바로 착한 마음, 착한 습관이다. 일본에서 자전거포 점원으로 시작해 세계적인 기업 마스시다 전기를 창업한 마스시다 고노스케 회장은 평생에 3개의 감사할 조건을 가지고 살았다고 한다. 첫째는 11살에 부모님을 여읜 것 - 그것 때문에 일찍 철이 들었고, 둘째는 초등학교 4학년이 학력의 전부인 것 - 그래서 평생 공부할 수 있었고, 셋째는 어려서부터 몸이 약했다는 것 - 그래서 건강에 관심을 가지고 노력하여 건강할 수 있었다는 것이다. 과거로부터 성공한 사람은 남들보다 잘나고 똑똑한 사람이기보다 조금 헛점이 있어도 남을 배려하고 매사에 긍정적인 사람이었다. 세상은 잘난 사람을 싫어한다. 착하고 성실한 사람을 좋아한다. 요새 학생들이 너무 공부를 많이 하여 똑똑해지다 보니 똑똑하지 못한 사람은 항상 자신감을 잃고 만다. 똑똑한 사람만 배출하는 우리나라의 앞날이 걱정된다. 이 책의 지은이도 군 출신으로 사회에 나와 무조건 1등만 하려다가 사람들에게 경계의 대상이 되면서 이게 아니라는 것을 알고는 win-win법칙을 배우고, 블루 오션을 실천하면서 크게 성공하였다고 한다. 나이 50이 넘어서야 깨닫게 된 인생의 법칙이 너무 소중하여 하나님께서 넘치도록 축복을 주시는 것을 보면서 자신의 거의 모든 재산을 기부하는 데 썼다고 한다.

세상은 혼자 사는 곳이 아니다. 내가 아무리 똑똑해도 혼자서는 아무것도 성취할 수 없다. 내가 잘되는 이유는 항상 주변의 다른 사람 때문이다. 그분들에게 항상 고마운 마음을 가져야 한다. 그리고 내가 잘되도록 도와준 내 주변 사람들에게 잘된 것을 다시 돌려주어야 한다. 착한 사람들의 이기는 습관은 고마움을 아는 마음이다. 어떤 암환자가 자신이 암에 걸린 것에 분노를 느끼며 우울하게 지내다가 의사 선생님이 매일 감사 일기를 쓰라는 말에 순종했더니 마음이 편해지고 이를 통해 작지만 봉사 활동하면서 암을 극복했다고 한다. 또 탈랜트 김혜자씨가 아프리카 봉사를 통해 감사함을 배우고 난 후 교도소를 방문하며 감사하기를 강연했는데 복역수들이 감사할 이유가 없다며 거절했는데 한번 식사를 위해 감사 기도를 드렸더니 많은 사람들이 눈물을 흘리며 세상 살맛을 느꼈다고 한다. 작지만 의미를 가지고 감사하는 습관을 가르쳐 보자. 그러면 세상이 바뀌어 보인다. 그래서 우리는 식사 기도할 때 '양식을 주셔서 감사하고 이것을 먹고 건강하게 해주세요'라는 간단한 감사 기도보다 이렇게 해보면 어떨까 한다. '하나님께서 햇볕을 주셔서 곡식을 잘 자라게 하시고, 농부의 손길을 통해 잘 거두게 하시고, 여러 사람들의 수고로 식탁까지 올라와 엄마의 손길로 맛있는 음식을 먹게 되었으니 이 모든 사람들에게 감사드립니다. 이것을 먹고 더욱 건강하여서 주의 일을 잘 담당하게 하옵소서'

리더의 가치, 관점 바꾸기

고집스럽게 자기 주장이 강한 어른들을 꼰대라고 부른다. 자기 틀이 확실하여 구태의연한 자기의 사고 방식을 타인에게 강요하고, 자기의 경험을 일반화하여 남에게 일방적으로 지시하고 다른 사람의 말을 들으려 하지 않고 상황에 맞지 않는 자기 주장만 하는 사람이다. 특히 자녀를 자기의 소유물로 생각하는 부모들에게서 많이 나타나고, 오랜 자기 경험으로 노하우를 이룬 전문가들이 후배들을 가르치려 할 때 주로 나타나는 현상이다. 그래서 꼰대질하는 부모나 선배에게서 벗어나려는 자녀나 후배들의 불만이 많고, 그로 인해서 관계가 파괴되거나 소홀해지는 경우가 많다. 이제는 과거의 자기 방식이나 자신의 틀에 억매이지 않고 주변 상황에 수용적이고 변화해야 하는 마음가짐이 필요한 때이다.

세상과 개인이 삶의 관점을 바꾸는 순간 변화가 생긴다. 마틴 루터가 어려서 때리는 무서운 아버지를 경험하여 신부가 되어서도 하나님 아버지를 무서운 심판자로 인식하였다가 하나님을 죄인을 사랑하고 구원하시는 은혜의 아버지로 인식하는 순간 역사를 바꾸는 종교개혁을 일으킬 수 있었다. 오늘날에는 이러한 변화와 혁신이 생존을 위해 필요한 수단이 되었기에 이를 위해 관점을 바꾸어야 할 필요를 많이 느끼게 된다.

1992년 일본에 유례가 없는 태풍(시속 52km)으로 아오모리현 과수원의 90%의 사과가 떨어져 농사를 망쳤는데 태풍에도 끝까지 붙어 있던 사과를 '기적의 사과'로 판매하자 대학 시험을 앞둔 수험생들에게 큰 인기가 되어 더 많은 수익을 얻었다고 한다. 1968년 멕시코 올림픽에서 미국 높이뛰기 포스베리 선수가 그 전까지의 가위뛰기를 버리고 새로운 배면뛰기로 기존의 기록인 177cm를 넘어 224cm로 우승했다고 한다. 비가 내릴 때마다 산사태가 나는 지역에서 물길을 막기 위해 노력하기보다 산 위에 다른 물길을 내어 물길을 분산시켜 산사태를 막는 것도 관점의 변화이다. 명함에 홍보 이사를 관점 디자이너로 소개하고, 미용사와 미용실 주인을 헤어 디자이너로 소개하는 어느 벤처사장의 마인드도 좋은 사례이다.

요즘 경쟁 체제의 경제 구조에서 관점을 바꾸는 전략은 엄청난 변화와 성공을 가져다 준다. 레고가 단순한 아이들의 장난감이 아니라 어른들도 가지고 놀 수 있도록 다양한 아이디어 상품을 내놓으므로 크게 성공하였다. 미국의 무크 강좌는 유명 강의를 무료로 수강하게 함으로 나중에 맞춤형 강의를 통해 학위 수여가 가능해질 수 있게 되어 엄청난 시장으로 발전하였다. 한 벌의 옷을 만드는데 중국에서 지퍼, 인도에서 옷감, 말레이시아에서 실, 한국에서 디자인, 베트남에서 완제품을 만드는 협력 체제(쪼개면 기회가 보인다)가 의류 경쟁에서 틈새 시장을 장악할 수 있었다. 아마존은 기존 도서 유통 시장에서 경쟁할 수 없는 상황에 재고와 진열 비용을 없애고 희귀 도서만을 인터넷에서 판매하다가 이제는 판매할 수 없는 나쁜 것을 제외하고는 모든 것을 유통함으로 유통업계의 헤게모니를 장악하였다. 기존에 OB 맥주가 70%을 점유할 때 조선맥주가 대구 낙동강 페놀오염사건을 극복하여 암반 지하수의 물을 사용했다는 광고(선택 기준이 좋은 보리에서 좋은 물로 바꿈)로 하이트 맥주가 성장하게 되었다. 슈퍼스타대회에서 부유하고 미남인 존박보다 가난하고 못생긴 허각이 우승할 수 있었던 것은 환풍기 수리공으로 생활했던 스토리(상대의 마음의 문을 열어주고 서로 공감함으로 신뢰를 줌)가 있었기 때문이다. 관점을 바꾼 창업과 사업을 통해 주변 사람들에게 이익을 주고 성과를 나눌 수 있다면 착한 성공을 이룰 수 있었다.

리더의 생각, 더 큰 모자

어떤 아이를 보면 싹이 보인다고 하고, 어떤 아이는 싹이 노랗다고 하기도 한다. 어릴 때부터 아이의 생각과 행동을 통해 그의 미래를 판단할 수 있다는 이야기다. 싹이 보이는 아이들은 누가 시키지도 않았는데 의지를 가지고 임하고 책임을 지는 자세를 보인다. 싹이 노란 아이들은 항상 성실치 않고 책임감 없이 일을 저질러 신뢰가 가지 않고 불안하다. 똑같이 잔소리하지만 기분이 다르다. 아이들이 싹이 보일 때 하는 잔소리는 또 다른 성장을 위한 진정한 조언이 될 수 있기 때문이다. 그런 아이들에게 조금만 더 성장할 수 있도록 LG화학 부회장인 박진수씨가 평사원에서 CEO가 된 비결을 쓴 글이 있어 소개하고자 한다.

첫째, 좋아하는 일만 쫓지 말고 자기가 지금 하고 있는 일을 좋아하라고 한다. 학생이 공부하는 것과 직원이 업무를 보는 것이 즐거울 수 없는 것은 당연하다. 그렇다고 처음부터 자기가 좋아하는 일을 할 수도 없지만 내게 지금 주어진 일을 좋아하고 열심히 하다 보면 어느 순간 자기가 좋아하는 일을 하고 있게 된다. 주어진 일을 제대로 해보지도 않으면서 불평만 늘어 놓거나 쉽게 포기하는 사람은 다른 곳에 가서도 마찬가지이다. 얼핏 하찮아 보이는 것들이 하나씩 모여 훌륭한 결과물로 빚어지는 법이기 때문이다. 좋아하는 사람과 결혼하는 것도 좋지만 평생 행복한 결혼생활을 하려면 지금 곁에 있는 사람을 좋아하면 된다.

둘째, 자신의 위치보다 한 단계 높은 시각으로 생각하고 행동하라고 한다. 중학생이 되었을 때 고등학생의 눈으로 보고, 부장 교사가 되었을 때 교감의 눈으로 보고, 과장으로 승진했을 때 부장의 눈으로 보고 그 입장에서 일하라는 말이다. 동양 최초의 미국 나사 국장인 신재원 박사가 자신의 출세 비결을 'One size bigger hat'(한 치수 더 큰 모자)라고 했다. 자기 머리 크기 보다 한 치수 큰 모자를 쓰고 일하다 보면 자신의 역량이 예전보다 부쩍 향상된다는 것을 느낄 수 있다. 시키는 일을 잘하면 평균이지만 한 차원 높은 시각으로 시키기 전에 일을 해낸다면 탁월함이 된다. 물론 쉬운 일은 아니다. 그러나 작은 내 안에 갇혀 내 중심의 생각에 머물지 말고 타인의 입장에서 상황을 보는 역지사지의 마인드는 내 주변을 돌아볼 줄 아는 능력을 키워줄 것이다.

셋째, 긍정의 힘이라고 한다. 유명 화가인 반 고흐와 피카소의 삶을 비교하면 반 고흐는 불행이 자신을 떠나지 않을 것이라고 생각했고, 피카소는 반드시 성공해 자신의 그림으로 부와 명성을 얻을 것이라는 긍정의 마음을 가졌다는 것이다. 그래서 반고흐는 쓸쓸하게 최후를 맞았고, 피카소는 세계적인 명성을 누리는 장수 화가가 되었다.

넷째, 愼其獨(신기독, 혼자 있을 때 삼갈 줄 알아야 한다)하라고 한다. 원칙과 기준에 따라 편법 없이 정정당당하게 승부하지 않으면 그 어떤 성과도 의미가 없다. 어느 세계적인 기업이 50달러 식사 영수증을 허위로 보고한 직원을 해고한 사례가 있다. 이 회사는 내가 한 일이 신문에 나도 부끄럽지 않은지 반문해보라는 뉴스페이퍼 테스트를 항상 강조한다고 한다. 웨스트민스터 대성당 지하묘소의 한 무덤에 '처음에 세상을 변화시키려는 꿈을 꿨고, 나중에는 가족이라도 변화시켜려 했지만 불가능한 일이었다. 죽음에 이르고 보니 자기를 먼저 변화시켰어야 했다는 것을 깨달았다'는 글이 있다. 꿈은 나의 변화로부터 시작되고, 꿈은 꾸는 것이 아니라 실행하는 것이다.

리더의 마음, 신뢰

우리는 눈앞의 이익을 위하여 가끔 눈감아 주거나 작은 거짓을 당연하게 받아 주는 경우가 있다. 특히 자녀를 키우면서 뻔한 거짓말로 희망 고문을 하거나 순간의 상황을 모면하기 위해 마음에도 없는 계획적인 속임수를 쓰기도 한다. 그로 인해 아이들도 거짓말을 쉽게 하고 잘못인 줄 모르고 사용하게 된다. 또 그렇게 사는 게 편하고 그러한 행동을 융통성 있고 넓은 아량을 갖춘 인격이라고 추켜세우기도 한다. 그런 것을 보고 배우며 자란 아이들이 정직하고 올바른 사람을 융통성이 없고 앞뒤가 막힌 사람으로 취급하고, 자신의 작은 성공담을 전설처럼 이야기하며, 무책임한 발언과 불성실한 행동을 밥 먹듯 하여 주변 사람들에게 불신과 걱정을 끼치게 한다. 살아가며 정직과 성실을 통한 신뢰가 얼마나 중요한지 어려서부터 마음에 새기고 몸으로 익히도록 가르쳐야 할 책임이 우리 어른들에게 있다.

이제 어른이 되어 리더가 될 수밖에 없는 사람들은 패러다

임(자신의 삶 속에서 체득된 정보에 기초하여 세상을 나름대로 해석하고 이해하는 고정관념의 사고 틀)을 전환하여야 한다. 특히 휴브리스(자신의 과거 성공 경험이나 능력만을 절대적 진리로 믿고 과거 방식대로 일을 밀어 붙이는 오만과 자기 과신)에서 벗어나야만 한다. 즉 리더는 올바른 방법(어떤 행동을 하는가)보다 올바른 방향(어떤 마음가짐과 존재 방식으로 행동하느냐)이 더 중요하다는 뜻이다. 유능한 리더는 공감과 수용을 잘하는 인간 전문가이며, 칭찬과 격려를 잘하는 업무 전문가이어야 한다. 경영의 신 고노스케는 우리 직원들은 모두 나보다 훌륭하다며 불어닥친 불황에 호황도 좋고 불황은 더 좋다며 직원들을 해고하지 않고 함께 일하도록 신뢰를 바탕으로 격려하였더니 더 성장하게 되었다고 한다. 하버드대 출신 250명을 70년간 추적한 결과 모두 하는 말이 "삶에서 가장 중요한 것은 신뢰를 바탕으로 한 인간관계"라고 하였다고 한다. 결국 리더는 공동 목표를 위해 협력하고 신뢰하고 소통하는 능력을 갖았을 때 모든 것을 가능케 하는 무형의 재산인 사회적 자원을 갖추게 된다.

이 시대가 요구하는 가장 중요한 리더십은 신뢰이다. 신뢰란 성품과 역량을 갖춘 개인 간 상호 작용에서 생성된 결과로서 사람의 됨됨이인 성품(성실성과 상생의 의도)과 어떤 일을 해낼 수 있는 힘인 역량(능력과 성과)이라고 할 수 있다. 머린 버핏은 능력과 열정이 있어도 성실성 없으면 망친다고 하였다. 성실성이란 자신과 타인과의 약속을 잘 지키는 데서 시작된다. 약속이란 서로 풍요함을 위한 윈윈의 상생적 계약을 말한다. 리더는 자신의 약속을 지켜 행동에 대한 책임감을 높여야 한다. 그러나 책임감을 가지고 최선을 다하는 것도 중요하지만 더욱 중요한 것은 일에 성과를 내야 하는 것이다. 이를 위해 맡은 일을 잘해낼 수 있는 전문성의 능력을 갖추어야 한다. 자녀나 직원들이 부모와 리더를 믿고 잘 따랐지만 제대로 성과를 내지 못한다면 리더의 신뢰를 저버리는 결과를 초래할 수 있다. 대표적인 예로써 미국에서 제일 잘 나가는 사우스 웨스트 항공사가 가치 철학인 신뢰(진실, 긍정, 존중)를 바탕으로 직원들이 긍지(자부심)를 갖고 매사의 업무에서 즐거움(웃음, 가족관계)을 제공하여 성공적으로 경영했다는 사례가 있다.

'인생은 B(birth)와 D(death)사이의 C(choice)이다'라는 말이 있다. 즉 인생은 주도적 선택에 따른 책임을 지는 것이라는 뜻이고, 어떤 상황에서도 문제의 원인과 해결책을 나에게서 찾아야 한다는 말이다(小人 求諸人 君子 求諸己). 인생에서 선택하는 것도 힘들지만 선택한 것에 책임지는 자세와 선택을 성공적으로 이끄는 역할은 더욱 힘들다. 그럴지라도 이를 가능하게 하는 것이 바로 정직과 신뢰이다.

리더의 준비, 만들어지는 리더

요새 우리나라 각 분야에 준비되지 않은 리더들이 너무 많아 안타까움을 겪는다. 향락과 마약에 빠진 재벌 2세들, 작은 실패에 극단적 선택을 하는 유명인들, 엘리트 코스로 상위 그룹에 들어갔지만 조직을 망치는 리더들이 그렇다. 상황에 따른 바른 결정과 선택을 할 줄 아는 지혜는 지식으로 얻을 수 없고, 오랜 경륜을 통해 얻게 되는 기다림의 결실이다. 시대가 리더를 탄생시킨다는 말이 있다. 혼란기에 영웅이 출현하고 안정기는 현군이 등장한다. 하지만 탁월한 리더도 인간인 이상 죽어야 하기에 우수한 후계자로 이어지는 시스템이 뒷받침돼야 공동체는 지속된다. 오랜 기간 번영을 이룬 조직은 공통적으로 체계적인 리더 발굴과 육성, 검증 시스템이 확립돼 있었다. 유능한 리더는 하늘에서 떨어지지 않고, 자질을 갖춘 인재는 현장 경험을 통해 숙성되면서 만들어진다.

'로마는 하루 아침에 만들어지지 않았다'는 격언처럼 천년

제국 로마의 리더들이 그러했다. 미래 로마를 책임질 리더는 군사, 재무, 행정 분야에서 단계별로 경험을 쌓으면서 능력을 시험받았다. 로마공화정은 농민이 유사시 병사가 되는 시민군 체제를 유지하면서 지도자의 사회 경력은 군대에서 시작됐다. 20대 초반 로마군에 입대해 최소한 3-4년 이상 장교로 근무했다. 전쟁터에서 잔뼈가 굵은 백전노장인 동료 장교와 부하병사들에게 인정받는 도전적 상황을 이겨내 살아남은 리더 후보들은 재정을 관리하는 회계감시관을 맡았다. 여기서 효율적 재정 운영 실무와 중요성을 배웠다. 다음 단계는 법무관으로 도시의 치안, 사법 절차를 담당하며 법치의 최일선 실무를 익힌다. 이후 단위 조직 책임자인 지방관이나 군 간부 역할을 수행한 후 대개 40세가 넘어야 최고위 관직인 집정관에 출마할 자격이 주어졌다. 그락쿠스 형제, 카이사르, 키케로 등 대부분의 지도층이 이런 단계별 인재 양성 시스템을 거쳐 성장하고 배출됐다. 이런 실무 위주 방식 덕분에 로마는 현실과 유리된 관념론과 이상론에 격리된 리더들로 말미암아 공동체가 혼란에 빠지거나 쇠락하는 위험을 최소화할 수 있었다. 르네상스기 지중해를 제패한 이탈리아 도시국가 베네치아가 천년을 지속할 수 있었던 것은 병상일치 구조인 유사시 상인이 해군이 되고, 무역선단은 해군함대로 재편되는 시스템이었다. 베네치아의 대표적 국가원수들은 모두 청년 시절 배를 타고 바다를 오가며 상거래를 통해 세상 물정을 깨우쳤고, 동시에 해상 전투 경험을 쌓으며 단련되고 역량을 인정받는 리더였다. 조직의 리더는 비평가나 학자가 아닌 실천가이다.

화려한 언변으로 무장하고 남에게 논평만 하는 사람이 아니라 현실에서 살아있는 사람들을 이끌어 구체적인 결과물을 만들어 내는 사람이다. 그래서 기본적인 자질을 갖춘 인재는 풍부한 현장 경험으로 숙성되는 과정을 거쳐 역할을 수행한다. 지속적으로 번영하는 조직이 되려면 높은 이상을 추구하되 냉혹한 현실을 다룰 줄 아는 역량 있는 리더를 양성하는 시스템이 있어야만 한다.

자녀들을 온실 속에서 예쁘게 핀 꽃으로 키우지 말고 험지에서 살아 남도록 키우는 것이 부모의 역할이다. 그러려면 많은 용기가 필요하다. 아이가 다치고 상처받고 울고 힘들어 하는 모습을 지켜보며 참고 기다려 주어야 한다. 아이에게 삶의 방향과 방법을 알려주되 스스로 헤쳐나가는 용기를 심어 줌으로 인격과 성품을 갖추고 실력과 능력을 겸비하도록 격려해야 한다. 사실 우리 주변에 그렇게 준비된 인재들도 많다. 잘 만들어진 인재를 영입하고 키우고 세우는 기업과 조직도 많다. 우리 아이가 그런 인재가 되고 리더가 될 수 있도록 기다려주는 부모가 되기를 기대한다.

리더의 교육, 행복 교육

행복을 경험한 사람이 남들을 행복하게 할 수 있다. 왜냐하면 행복은 추상적인 가치와 인간의 욕구로 얻을 수 있는 것이 아니라 삶의 현장에서 몸과 마음으로 겪은 경험의 산물이기 때문이다. 어릴 때부터 행복한 부모의 돌봄 속에 행복을 가르치는 학교에서 행복한 사람들 속에 행복을 배운 사람은 행복한 인격체로서 남들을 행복으로 이끌 수 있는 리더가 될 수 있다. 그런 의미에서 어린 시절 처음 선생님과 친구들을 만나며 사회화를 배우게 되는 독일과 덴마크 학교의 행복 교육이 어떤지 살펴보고자 한다.

독일로 이민 가서 아이들을 교육시킨 한 주부의 '꼴찌도 행복한 교실'이라는 글을 읽었다. 등수가 없는 성적표에 선행학습하고 가면 월반하라고 겁을 주는 나라라고 한다. 독일인들은 아이들이 공부나 음악, 운동에서 천재라는 이야기가 나올 때마다 한결같이 '어린 것이 그렇게 되기 위해 얼마나 살인적인 연습을 했을까' 하며 혀를 찬다고 한다. 또 공부 때문에 아이들이 스트레스받지 않도록 학교 시험도 예고 없이 수시로 본다고 한다. 우리 부모들이 자식이 어릴 때부터 더 많은 것을 배우도록 혹독하게 연습시키고, 시험을 준비시키며 밤을 새우며 스트레스를 주는 것에 비하면 독일 아이들이 무척 행복한 것 같다. 독일 학교는 우수한 아이들은 혼자서도 제대로 잘하기 때문에 절대적인 도움이 필요한 중하위권 아이들을 위해 최선을 다하는데, 학교에서도 그 아이들을 버리면 사회에서 그들을 받아줄 곳이 없기 때문이라고 한다. 이는 독일어의 교육이라는 padagogik은 '어린이를 인도한다'라는 의미를 잘 실천하는 것이라 하겠다. 우리나라에서 엘리트만을 목표로 가르치고 기초학력 미달자에 대해 손쓰지 못해 사회에 나가 기회비용이 더 드는 것을 보면 학교가 무엇을 해야 하는지 답을 주고 있다. 또 독일 엄마들이 아이들의 동의 없이는 강요하지 않고 스스로 선택하도록 기회를 주는 인내심(혹은 무관심)에서 조급한 우리나라 학부모와 비교된다. 특히 독일 선생님들의 고민거리가 가정에서 예의를 배우지 못한 아이에 대한 관심, 수업 내용을 이해하지 못하는 아이에 대한 관심 등 아이를 사랑하고 학생을 이해하려고 노력하는 교사로서의 역할이라고 하는데, 우리 교사들이 우선해야 할 일들이 무엇인지 말해주는 듯하다. 그래서 대부분의 독일 교사들은 학생들을 가르치고 인도하는 것을 최고로 여기며 존경받는 직업인데, 독일의 교장 자리는 승진하여 얻는 영광의 자리가 아니라 학교 전체를 통솔하고, 과중한 업무이면서 교사와 관계없는 일을 하는 인기 없는 직업으로 돈과 명예 때문에 선택하는 어려운 자리라고 한다. 그래서 결과보다 과정, 경쟁보다 협력, 성공보다 행복을 교육받은 독일인의 의식에는 정은 없어 보이지만 사람의 도리를 저버리지 않고, 타인에게 피해 주지 않으며, 가난한 사람들을 외면하지 않는 따뜻한 마음과 의식이 자리잡고 있다. 교육의 진정한 목표인 자신의 인생을 주체적으로 펼칠 수 있고, 문제가 발생하면 스스로 해결점을 찾을 수 있는 사람을 키우려고 노력하며, 누구 하나를 꼭대기에 세우기 위해 나머지가 존재하는 것이 아니라 학생들 모두가 행복하도록 교육을 실천하려는 독일인의 모습이다.

덴마크는 국민소득 5만불의 세계 행복 지수 1위의 국가이다. 덴마크는 바이킹의 후예로 근대까지 정복 국가 대열에서 발전하다가 주변 국가들과의 전쟁에서 패하여 작아진 국토와 힘들어진 생활에 그룬트비의 3애 정신(하나님, 이웃, 땅)을 바탕으로 각성과 부흥운동을 통해 낙농 복지 국가로 성장하게 되었다. 세계적인 친환경 기술, 실용적 디자인, 교육과 의료의 복지 정책이 성공할 수 있었던 것은 당시 전 유럽이 다윈의 진화론에 의한 적자생존의 경쟁체제를 받아 들였을 때, 덴마크만은 서로 공유하고 협력하는 국가 체제를 갖추었고, 이를 담당한 정치인이나 공무원들이 투명하고 청렴하게 일처리를 하면서 국민적 신뢰를 얻었기 때문이다. 덴마크 교육의 주제어는 '자유'이다. 즉 타인에 대한 존중과 선택의 자유 보장으로 스스로 결정한 것에 책임지고 문제가 생기면 토론을 통해 바꾸는 체제이다. 9년제 초등학교 의무교육 체제이지만 반드시 공교육 의무가 아니라 본인이 원하면 공교육 트랙에서 빠져나가 대안교육(음악, 스포츠, 미술, 목공 등 전문가 수준의 교육)을 하여도 동등하게 인정해주고 있다. 덴마크 교육의 특징은 첫째, 단 한명의 아이라도 사회적 약자로 남겨두지 않는 것이다. 그래서 각자의 개성을 충분히 살리기 위해 경쟁과 비교가 아닌 협력과 신뢰로써 학생 간 협력학습이 강조되고, 결과가 아닌 학생의 노력과 절차를 통한 성장을 중요시 한다. 특히 시험을 통한 경쟁적 사고, 교사의 수고, 학생의 스트레스를 없애기 위해 학교에서 시험을 추방하여 9년간 졸업할 때 단 한 번의 국가시험을 치루는데 낙방도 없이 학생의 지식과 숙련도를 측정하는 시험이다. 시험이 없어 반복 학습은 가치 없는 것으로 여기고 창의적인 문제 해결 학습이 자연스럽게 진행된다. 그럴 수 있는 것은 덴마크 사회가 사회구성원 간의 경제적 평등과 신뢰를 구축하였기 때문이다. 둘째, 학교는 지식 교육이 아닌 삶을 위한 교육의 실천장이다. 그래서 실용주의적 교육 시스템을 채택하고, 학교생활 자체에 행복을 경험하고 자신의 소질을 계발하기 위한 교육과정과 방과후 활동이 활발하며, 정규 과정에 싫증을 느끼면 대안교육을 선택해도 불이익을 주지 않는다. 특히 다양한 경험과 체험을 강조하여 지역과 근로자 조합이 중심이 된 학생 직업 체험 교육은 우리나라에 좋은 모델이 될 것이다. 셋째, 6~16세 청소년에게 10년간 진행된 공감 능력 키우기 수업이다. 내 감정을 잘 표현하고 상대 감정을 잘 읽고 배려하는 능력이 이들을 행복하게 했다고 한다. 감정 카드 수업, 고민 해결 수업, 오늘은 내가 요리사 수업을 통한 공감 교육에서 가장 중요한 것은 상대의 의견에 동의하지 못해도 상대의 관점을 존중하며 이해할 수 있도록 학습하고 훈련하는 것이라고 한다.

리더의 동력, 건강

과거로부터 건강하게 오래 살고, 돈 많이 벌고, 명예와 권력을 누리는 것을 인간의 행복으로 여겨왔다. 조선시대에는 이러한 행복의 기준을 오복에 담고 있는데, 壽수(오래 사는 복), 富부(부유함), 康寧강녕(큰 우환없이 사는 것), 攸好德유호덕(덕을 즐기는 것), 考終命고종명(주어진 명을 다하고 편안하게 숨을 거두는 것)이다. 오복 가운데 최고를 수라고 하듯이 오래 사는 것은 큰 복 중 하나이다. 최근에는 90세, 100세 노인이 늘고 있어 앞으로 100세 수명이 일반화된다면 오래 사는 것보다 건강한 장수의 삶을 누리는 것이 복이 될 것이다. 그런데 아직도 병으로 제대로 생활하지 못하며 가족을 의지하거나 병원에서 인생의 말년을 사는 사람들이 많다. 특히 여러 면에서 성공하고 남부럽지 않게 살다가 갑작스러운 질병으로 이루어 놓은 행복을 누리지 못하고 병으로 눕거나 사망하는 것을 보면 안타깝기 그지없다. 건강은 개인적인 삶에서도 중요하지만 세상을 이끌 리더에게는 더욱 중요한 덕목이다.

최근 우리나라 학생들의 체격이 작아지고 있다고 한다. 고3 키가 10년 전보다 작아지고(남학생 173.6 ~ 173.4, 여학생 161.8 ~ 161) 몸무게는 늘었다(남학생 68.4 ~ 69.6, 여학생 54.8 ~ 56.7)고 한다. 유전적 한계라는 말도 있지만 학생들이 운동을 하지 않기 때문이라고 생각한다. 청소년기에 적절한 운동으로 성장판을 자극해 주어야 하는데 학생들이 교실과 학원만 오가고, 그나마 시간이 남으면 컴퓨터와 스마트폰 하느라 땀 흘려 운동하지 않으려 한다. 국영수 성적만 중시하다보니 학생들 체격이 허약해진 것을 넘어 평균 키가 줄고 몸무게가 느는 서글픈 현실에 이른 것 같다. 옛날 고3때 억지로라도 일주일에 두세 번 운동장에 나가 땀을 흘리며 대입 체력장을 준비하던 때가 기억난다. 100m, 제자리멀리뛰기, 윗몸일으키기, 던지기, 턱걸이(오래 매달리기), 오래달리기 등 6개 종목 테스트해 20점 만점에 4,5점 차이에 불과하지만 거의 대부분이 만점을 받았고, 또 그것 때문에 열심히 운동을 하며 땀을 흘리고 기록을 깨는 즐거움에 기분도 좋았던 기억이다. 대입 체력장에서 오래달리기를 하다 사망한 사건을 계기로 1994년 폐지된 것이 아쉽기도 하다. 점점 약해져 가는 아이들을 보며 우리나라 미래에 대한 걱정이 앞선다. 집에서 책상 머리에만 앉아 있거나 쇼파에 눕기, 작은 거리도 걷기 보다 승용차 타기, 집안의 작은 일이나 힘들고 어려운 일을 거부하고 용역 부르기, 부모의 심부름에 마트 가기를 거부하고 택배나 배달 시키기 등에 익숙한 아이들이기에 억지로라도 운동을 시켜야 할 것이다.

요새 학교에서 학생들을 대하다 보면 공부를 잘하는 아이들이 운동도 잘하는 것을 본다. 운동을 좋아하고 잘하는 사람은 항상 긍정적인 생각을 하고 활력이 넘쳐 하는 일마다 자신감을 갖는다. 운동은 삶에 활력소를 가져다주고, 육체와 마음의 건강을 준다. 운동하는 사람은 상대방을 배려할 줄 알고 자신의 삶을 관리할 줄 안다. 특히 단체 운동 경기는 준비하면서 마음의 기대와 즐거움을 주고, 경기를 통해 배려와 협력을 배우고, 경기를 마치고 이겨서 즐겁고 져서 위로받으며 서로가 하나가 된다. 정부에서 엘리트 체육을 중심으로 국제 대회에 국위를 선양할 우수 선수들을 키우고, 또 개인적으로는 각 종목의 프로구단에서 활약하는 운동 선수가 되기 위해 노력하는 현실에 대다수의 사람들이 스포츠와 운동을 관람하는 것으로 대리 만족하는 것이 아쉽다. 물론 이를 통해 운동에 참여하는 경우도 있지만 아이들 모두가 억지로라도 운동하고 체력을 키울 수 있는 학교 체육 정책이 활기를 찾았으면 좋겠다. 우리 아이들이 운동을 통해 체력을 키우고 건강한 육체를 바탕으로 자신에게 즐겁고 남에게 행복을 주는 배려심과 협동심을 길러 어떤 일을 하든지 앞장서 이끌 수 있는 건강한 리더가 되었으면 좋겠다.

Chapter 6

역사를 통해 배우다

오랫동안 과학적 사고로 교육받고 과학적 사실만이 진실이라고 생각하는 사람들에게 하나님과 같은 신의 존재에 대해서는 무관심하거나 부정하는 것이 당연하게 여겨진다. 그러나 앞에서 신앙적 가치인 기독교 세계관을 중심으로 이야기하다 보니 믿음이 없거나 믿음이 약한 사람들, 또 하나님에 대해 무관심했던 사람들에게 역사 속에 숨어있는 하나님에 대한 이야기를 해볼까 한다. 특히 나의 관심 대상이었던 역사를 신앙적 가치에서 연구하고 공부하였던 일부를 나누면서 도움이 되기를 기대한다. 그래서 인간 마음의 시작에서 우리나라의 역사와 주변국의 역사, 우리나라와 세계의 근대 과정에서 한번 생각해 볼만한 문제들을 기독교 세계관의 관점으로 접근하여 신앙적 가치관 형성에 도움이 되었으면 좋겠다.

종교의 시작, 인간의 영과 혼

우리 인간은 영과 혼과 육(살전5:23)으로 구성되어 있다. 가끔 영혼을 함께 쓰기도 하지만 성경은 다르다고 표현한다. 처음 하나님께서 인간을 창조하실 때 생기를 불어 넣으셨다(창2:7)고 할 때 이 생기가 영이고, 하나님의 생기에 몸이 반응하여 생긴 것이 생령, 즉 혼이다. 그래서 영은 하나님과 교통하는 수단이 되고, 혼은 각 인간의 지능과 감정과 의지로 나타낸다. 그래서 영은 옳고 그름을 판단하는 양심과 인간의 영적 감각인 직관, 하나님과 교통하고 예배하는 영교 등을 말한다. 혼은 인간의 인격을 형성하는 기본으로 지능, 생각, 감정, 분별, 선택, 결정, 의지 등을 말한다. 그래서 지혜롭고 어리석음, 착하고 악함, 결단력 있고 우유부단함 등의 개인적 성향에 대한 판단은 그 사람의 혼에 의한 반응이다. 그러나 하나님과 통하는 것은 혼이 아니라 영으로 교제하기 때문에 그 사람의 성향으로는 영적인 교제를 할 수 없는 것이다. 육은 말 그래도 인간의 육체로 건강, 외모 등으로 나타나는 고깃덩어리에 불과하다.

지난 오랜 인류의 역사에서 인간은 여러 사람들의 지능의 힘으로 문명을 만들고 역사를 이끌어 왔다. 그러나 인간의 혼과 육으로 해결할 수 없는 영적인 영역에 대해서는 지금도 미스테리가 많다. 인간의 초이성적 상황, 영의 세계, 신과 하나님의 영역 등에 대해서는 종교라는 이름으로 연구되고 체험하게 되었다. 그래서 사람들은 인간의 힘으로 대처할 수 없는 자연의 두려움을 영의 영역으로 대처하게 되어 일찌감치 하늘의 신을 섬기고 제사 지내고, 혹은 자연을 두려워하여 자연을 섬기거나 의지하는 애니미즘, 토테미즘, 샤머니즘 등의 원시 종교가 발생하게 되었다. 원시 종교의 의미와 의식을 체계화하여 정리된 것이 고등 종교인 기독교, 이슬람교, 불교 둥 이라고 하지만 사실은 그 처음 시작은 성경 말씀의 여호와 하나님이다. 천지를 창조하고 인류를 창조하신 하나님이 우리 인간의 심오한 마음 중심에 영의 세계를 만들어 놓으셨다. 인간은 죄를 지어 하나님을 대신하여 그 중심의 영적 세계를 다른 것으로 채워보려고 하지만 할 수 없다는 것을 고백하게 된다. 죄를 지은 인간은 오랜 시간을 거치면서 자기가 사는 지역과 문명을 통해 하나님에 대하여 다른 이름으로, 혹은 다른 방법으로 섬겨 왔기에 그 생각과 의식에는 모두가 공통점을 갖는다.

사람들이 보통 말하는 신과 귀신에 대한 이야기, 사람이 죽으면 저승으로 돌아가신다는 영적인 이야기, 사람들이 영매를 통해 영혼이나 귀신을 만나고, 무당이 하늘의 뜻을 대신 전해준다는 이야기, 사람들이 죽은 조상들에게 제사를 지내고, 그들이 믿고 있는 신에게 제사를 지내는 이야기, 사람들이 각 시대마다 읽히고 전해주는 많은 설화와 신화 이야기 등은 최초에 하나님이 인간을 창조한 이후에 하나님에 대한 다른 표현들이다.

인간은 스스로의 노력으로 무한히 발전하고 잘 살 수 있을 것이라고 여기지만 항상 마음의 빈 공간과 허무를 느낀다. 즉 혼과 육의 능력으로 살아 보려하지만 완전한 행복과 성취는 영이 채워졌을 때 가능하기 때문이다. 그래서 행복은 물질적 풍요나 도덕적 성취에서 얻기보다 영적인 은혜에서 찾을 수 있다. 또 인간이 정의를 구현하기 위해 법을 제정하고 도덕적 가치와 질서를 강조하지만 이를 지키지 못하고 유지하지 못하는 것은 진정한 정의는 영의 영역에 속하기 때문이다.

양심의 소리, 선한 행실

양심의 사전적 의미는 '사물의 가치를 변별하고 자신의 행위에 대해 옳고 그름과 선과 악의 판단을 내리는 도덕적 의식'이라고 한다. 기독교에서는 '하나님의 뜻을 통찰하고 죄를 책망하며 선을 추구하려는 능력'으로 하나님이 인간을 창조할 때 이미 하나님을 뜻을 알도록 만들어진 인간의 영적 체계 중에 하나이다. 그래서 인간이 하나님을 믿지 않더라도 잘못하면 양심이 잘못인 것을 가르쳐 주고 자책을 하게 한다. 성경에서 하나님을 알지 못하는 사람이라 할지라도 그 양심이 증거가 되어 그 생각들이 서로 고발하며 변명하여 그 마음에 새긴 율법의 행위와 하나님의 뜻을 나타낸다고 하였다(롬2:15). 즉 양심에 따라 심판받는다고 하였다. 양심의 영어 표현인 conscience의 라틴어 어원은 함께 앎, 공통의 깨달음이다. 민족이나 국가, 종교와 언어와는 상관없이 공동체 구성원 전체가 옳다고 느끼는 생각을 가리킨다. 헌법재판소는 헌법이 보장하려는 양심에 대해 '어떠한 일의 옳고 그름을 판단하는데 있어 그렇게 행동하지 아니하고서는 자신의 인격적 존재 가치가 허물어지고 말 것이라는 강력하고 진지한 마음의 소리'라고 정의했다. 즉 양심이란 '염치를 갖춘 정직한 마음'이라고 하겠다. 염치도 없고 체면과 부끄러움도 없이 남을 속이려 드는 마음은 당연히 비양심이다. 보통의 인간이라면 보편적 도덕에서 벗어난 자신의 속임수를 체면 때문에 부끄럽게 여기는 게 정상이다. 그런데 우리나라는 비양심적인 것이 많다고 한다. 연간 사기 사건이 24만 건으로 2분에 1건씩 발생하고 미국, 일본 등에 10배-100배 높은 수준이라고 한다. 돈 떼먹는 사람이 너무 많은 것은 처벌 형량이 약해서라기 보다 자신의 양심을 속이는 사람이 많아서라는 생각이 든다. 인디언의 속담에서 양심은 마음 속 삼각형이라 비양심 행위로 삼각형이 돌면서 쿡쿡 찌르지만 계속 돌다보면 모서리가 무뎌져 나중에는 아프지 않게 된다고 한다.

그러나 양심의 소리를 듣고 선을 행하는 사람들도 많다. 록펠러에 대한 이야기이다. 33세 백만장자, 43세 미국 최대갑부, 53세 세계 최대갑부, 55세 불치병으로 시한부 선고, 최후 검진을 받기 위해 우연히 병원 로비의 액자 글(주는 자가 받는 자보다 복이 있다)을 보고 마음에 전율을 느끼며 눈물을 흘리다 입원비가 없어 다투는 소리에 병원비를 대신 지불해 주고 나중에 은밀히 도운 소녀가 회복된 것을 보면서 기뻐하며 자서전에 그 순간을 가장 행복했다라고 표현했다고 한다. 그때부터 나눔의 삶을 작정하여 98세까지 살면서 선한 일에 힘썼다. 나중에 "인생 전반기 55년은 쫓기며 살았지만 후반기 43년은 행복하게 살았다"고 회고하였다. 그의 선행은 후에 카네기, 헨리포드, 빌게이츠, 워린 버핏의 거액 기부로 이어지게 되었고, 그들의 노력으로 자선과 기부는 미국 사회의 전통이 되었고 부자들을 존경의 대상으로 탈바꿈시켜 놓았다.

세상에는 받기만 하려는 Taker와 주면 받아야 하고, 받으면 주어야 하는 Matcher와 주기만 하는 Giver가 있다고 한다. 그런데 사회 조직에서 제일 하위 그룹을 이루는 사람도 Giver이고, 최상위 그룹도 Giver라고 한다. 이는 Giver들이 처음에 멍청하게 주기만 하여 손해보지만 그 의미를 알고 신뢰를 갖게 되어 결국에는 최고의 자리에 가게 된다고 한다. 미국은 Giver들에 의해 세워진 나라이다. 페이스북의 창시자인 젊은 마크 조커버그는 딸을 낳고 딸이 아름다운 세상에서 살기를 바라면서 50조억을 기부했고, 마이크로소프트의 빌 게이츠는 처음에 돈만 버는 구두쇠였는데 아내의 조언으로 지난 10년간 약 30조억(매월 50억)을 기부하였다. 우리나라에도 임진왜란과 병자호란 때 의병을 모아 싸우다 전사한 최진립 장군의 후손이 300년을 이어오며 경주 최부자의 전통을 지켜왔다. 최부자의 집안을 다스리는 지침의 6훈은 1) 과거를 보되 진사 이상 벼슬을 하지 마라. 2) 만석 이상의 재산은 사회에 환원하라. 3) 흉년기에는 땅을 늘리지 말라. 4) 과객을 후하게 대접하라. 5) 주변 100리 안에 굶어 죽는 사람이 없게 하라. 6) 시집 온 며느리는 3년간 무명옷을 입어라. 결국 일제 강점기 독립군을 지원하고, 마지막 재산을 대구대학에 기부하면서 참 부자의 모범을 보여 주었다. 노블레스 오블리주라는 말이 있다. 닭은 벼슬이 아니라 알 낳는 것이 주목적이라는 말로, 명예를 가진 자는 의무를 다해야 한다는 말이다. 그래서 로마의 귀족들이 전쟁의 제일 앞장섰고, 영국 귀족들이 2차 대전에 제일 앞서 싸웠다.

지난 2017, 18년에 아름다운 예술인상을 수상한 정혜영, 션 부부는 하루 1만원씩 저금해 365만원이 모아지는 자녀의 생일에 생일선물로 소아병원에 기부하고, 현재 월드비전을 통해 400여명의 아이들을 후원한다고 한다. 차인표, 신애라 부부는 아프리카 봉사활동을 통해 아이를 입양하고 기부와 봉사 천사로 알려져 있다. 남을 돕고 돌아보겠다고 마음 먹으면 참 할 일이 많다. 내게 가진 것이 비록 적어도 함께 나누고자 하면 더 풍성해지는 것 같다. 우리는 보통 give and take로 받으면 주고, 주면 받으려는 마음을 가지고 있지만 조금 손해를 보더라도 섬기고 주는 것을 통해 세상을 바꾼 진정한 Giver의 정신을 실천했으면 좋겠다. 양심 속에 숨겨진 하나님의 말씀을 듣고 선한 행동을 하는 사람이 되었으면 좋겠다.

우리나라 역사 속, 종교심

우리 민족은 무척 종교성이 강했다고 전해진다. 그 이유와 근거를 우리나라 고대사에서 제시된 몇 가지 기록을 통해 알아보고자 한다.

첫째는 고대 우리나라 선조들에 대한 중국인들의 기록을 통해 알 수 있는 종교적 성품이다. 산해경(양보하기를 좋아하고 다투지 않는다), 설문해자(夷란 동방에 사는 사람으로 오로지 동이만이 대의를 따르는 대인이다. 동이의 풍습은 어질다. 어진이는 장수하는 법이며 그곳은 군자들이 죽지 않는 나라다), 후한서 동이열전(동방은 夷이며 이는 근본이다. 만물이 땅에서 나오는 근본이다. 동이의 풍속은 어질다. 천성이 유순하다. 군자의 나라요 불사의 나라다), 삼국지위지동이전(부여 사람들은 근실하고 인후해서 도둑질이나 노략질을 하지 않는다. 예 사람들은 성격은 신중하고 성실하며 욕심이 적고 염치가 있어서 남에게 청하거나 비는 일이 없다, 변진의 풍속은 가무와 음주를 즐긴다. 이 지역의 풍속은 사람들이 길 위에서 마주치면 언제나 멈춰 서서 상대에게 길을 양보한다), 진서 숙신전(말로 약속하고 바깥에 놓아두어도 서로 탐내지 않는다), 논어 자한(동이는 천성이 뛰어나다. 공자는 도가 행해지지 않음을 아프게 여겨 구이의 나라에 가고 싶어 했다). 우리 민족의 속성은 과거부터 어질고 유순함이었다. 이는 성경에서 말하는 하나님을 알고 섬기는 사람들의 일반적인 성품이다. 우리 민족의 유순한 성품은 셈의 후손임을 증명하는 것이다.

둘째는 우리나라 고대 풍습과 종교에 나타난 신앙관이다. 삼국지위지동이전에 나오는 고대 우리 민족의 풍습 중에서 10월이 되면 하늘에 제사를 올렸다는 부여의 영고와 고구려의 동맹, 5월에 삼한의 수릿날은 일찌감치 하늘의 신을 섬긴 제천행사임을 확인할 수 있다. 후에 중국이 세상을 지배하는 황제국이 되어서 황제만이 하늘에 제사를 지낼 수 있다고 정했지만 우리 민족은 삼국시대를 거쳐 고려시대까지도 직접 하늘에 제사를 올린 것을 보면 하늘로부터 선택받았다는 선민의식과 하나님과 직접 교통하는 종교적 전통을 이어왔음을 알 수 있다. 또한 우리나라 역사에서 외래에서 수입된 모든 종교는 우리 민족의 종교성과 쉽게 혼합하여 우리의 것으로 발전하였다. 중국으로부터 수용한 불교는 지금까지도 우리 민족을 대표하는 종교가 되었고 팔만대장경을 갖출 정도로 세계 불교 역사의 중심이 되었다. 조선시대에 수용된 천주교는 외국 선교사들에 의해 전파된 것이 아니라 우리나라 양반들이 중심이 되어 스스로 서학을 공부하며 교리를 받아 들이고 미사를 올릴 정도로 종교심이 뛰어났고, 정치적이고 신분적인 이유로 천주교를 박해했을 때 수많은 사람들이 죽음으로써 신앙을 지키기 위해 순교했던 것도 세상에 드문 깊은 종교심을 가진 민족임을 증명해준다.

셋째는 우리나라 고대 신화 속에 감추인 종교심이다. 고대로부터 우리나라의 건국 신화는 하늘로부터 신이 내려와 신의 아들이 나라를 세웠다는 천신 사상의 이야기들(단군 신화에서 환인이 아들 환웅을 내려보내 신시를 건국하고 그 아들 단군이 왕이 되었다는 이야기, 하늘의 신 해모수가 내려와 유화부인과 하룻밤을 자고 임신하여 커다란 알을 낳았는데 그곳에서 주몽이 태어났다는 이야기 등)이다. 이는 고대 강력한 세력을 하늘의 세력이라 하여 백성을 지배하는 정통성과 명분을 갖추기 위해 꾸민 이야기라고도 하지만 그런 이야기를 꾸밀 때 하늘의 권한을 제시하고 하늘의 아들이라고 한 모티브는 하나님을 믿는 민족의 속성임을 나타낸 것이다. 특히 단군 신화의 환인과 환웅과 단군은 기독교의 삼위일체의 성부와 성자와 성령으로 해석하고, 우리나라 풍속 가운데 삼신, 삼성이니 하는 말에서 신령한 것을 3으로 표현하는 것은 기독교에서 하나님을 삼위일체로 표현한 하나님을 이야기하는 것이라고 말하는 학자들도 있다.

넷째는 우리나라 종교의 바탕을 이루고 있는 샤머니즘이다. 우리나라 고대국가의 건국신화나 단군신화가 샤머니즘의 소산이고, 이후에 우리나라에 들어온 외래종교와의 혼합을 통해 샤머니즘이 변형된 종교심으로 숨어있다는 사실이다, 우리나라 샤머니즘의 최고신은 하나님이라 명칭하였는데 주신인 하나님은 인간사에 간섭하지 않고 그 부하인 잡신들(산신, 물귀신, 삼신 등)에게 인사를 관장하게 하였다든지 샤먼인 무당을 통해 인간의 불행으로부터 구원을 모색하려는 것 등이다. 그 전통은 신라의 화랑도나 고려의 팔관회, 조선의 무교로 발전하면서 우리나라에 수용된 불교나 기독교 등에도 깊은 영향을 미쳤다. 그래서 우리나라 사람들의 종교심의 특징은 샤머니즘적 사고에 의해 다음과 같이 나타난다. 첫째는 의타성이다. 사람들의 운명이 자신의 의지가 아니라 중개자 무당을 통해 영계와 교제해 주기를 바라는 마음이다. 둘째는 보수성이다, 현실적인 책임이나 윤리적 결단, 창의적인 진취성 없이 종교와 신앙에서 자기 구미에 맞는 것만 받아들인다. 셋째는 현실주의이다. 모든 욕구는 현재에 집결되어 현재의 불안에서 벗어나 안심입명하고 복된 생활과 즐거움을 추구한다. 우리 말에는 來日이라는 단어가 없음에서 현실을 중요시 여기는 전통을 알 수 있다.

우리나라의 종교, 샤머니즘과 기독교

우리나라 종교와 정신적 바탕의 근본을 샤머니즘이라고 한 학자의 주장을 소개해 보고자 한다. 한국 샤머니즘은 최고신인 주신이 천상세계에 있는 하나님이며 이가 부하인 귀신들에게 인사를 담당하게 하고, 중간세계에 인간과 생물이 살며, 하계에 악영이 사는 지옥이 있다고 하여 심판 사상과 윤리 사상을 갖춘 원시 종교이다. 샤머니즘의 주요 관심은 인간의 윤리가 아니라 영계가 조작하는 재앙으로부터의 해방, 인간의 불행으로부터의 구원을 모색하여 무당을 통해 하늘과 통하고, 현실 삶에서 복과 즐거움을 구하려는 신앙이다. 이러한 샤머니즘적 종교의 바탕에서 우리나라가 기독교를 받아들이는데 샤머니즘은 다음과 같은 역할을 했다고 한다.

첫째, 기독교의 하나님과 그 세계를 쉽게 받아들이게 하였다. 샤머니즘은 많은 귀신과 함께 주신인 하나님을 믿고 있었기 때문이다. 그래서 우리가 쉽게 기독교의 하나님을 믿지만 결국 샤머니즘의 주신의 관념에서 벗어나지 못한 문제가 있다. 둘째, 모든 외래 종교의 수용 과정과 마찬가지로 기독교 역시 현실주의적인 재앙을 벗어나 복을 비는 종교로 받아들이게 되었다는 것이다. 우리나라 사람들은 질병이나 재앙을 만나면 누구보다도 열심히 이것을 제거하기 위해 하나님께 기도하는 기복 신앙을 표출한다. 하나님의 인격적인 섭리에 대한 기대보다 그의 능력의 주술적인 효과를 기대하는 것에 문제가 있다. 셋째, 믿기만 하면 복을 받을 수 있다는 의타 신앙이다. 기독교의 근본 교리인 믿음으로 구원에 이른다는 진리를 우리는 너무도 쉽게 받아 들이는데, 여기서 말하는 믿음의 개념을 주체성을 가진 실존적 결단과 상관없이 안이한 의타주의로 받아들였다는 것에 문제가 있다. 넷째, 샤머니즘의 보수성처럼 한국 기독교 신앙이 전통주의와 보수주의에 굳어 버려 창의적인 진취성이 없이 정체되고 있는 것이 문제가 있다. 그러나 이러한 샤머니즘의 장점은 근대화 과정과 일제 강점기라는 시대적 배경에서 우리나라에 들어온 기독교로 하여금 우리 민족의 종교성과 문화적 특성에 맞게 역할 수행을 잘하게 하였다. 우선 우리나라 사람들의 심성이 기독교의 복음을 쉽게 이해하고 받아들일 수 있는 준비가 있었고, 한국 역사가 당면한 시대적 요청에 기독교가 응하여 나라를 잊은 백성들의 도피처가 되어 일제에 대항하는 독립운동의 선도적 역할뿐 아니라 한국의 근대화와 현대 문명의 선구자 역할을 담당하였던 것이다.

모든 세계의 종교와 문화 속에 함께하신 하나님은 우리나라 종교인 샤머니즘 속에도 함께 하며 기독교 수용 과정에서 쉽게 받아들이고 그 역할을 수행하도록 이끌었던 것을 살펴보았다. 성경에 '하나님은 만유의 아버지시라. 만유 위에 계시고 만유를 통일하고 만유 가운데 계신다'(엡4:6) 라는 말씀처럼 만유에 핑계치 못하도록 계신 하나님이 만유를 관장한다면 세상 사람 모두가 하나님의 자녀로서 이를 인정하고 의식한 그리스도인과 인정하지 않고 의식하지 못하는 그리스도인으로 구별할 수 있을 것이다. 그렇다면 핑계치 못할 하나님을 안다면 우리에게 주어진 구원의 사실에 주체적이고 실존적으로 동참해야 할 것이다. 그래서 구원의 복음은 만인에게 준 선물이지만 그것을 받아들여야 하는 과제이기도 하다.

우리나라 역사 속에 있었던 무교나 불교나 유교나 천도교가 하나님을 인식한 것은 아니었지만 하나님께서는 그 종교 형태와 활동을 통해 자기의 기능을 수행하셨음을 알 수 있다. 그것은 비록 하나님의 이름과 기독교적인 개념을 사용한 어떤 행위는 아니었지만 그리스도의 복음이 뜻한 인간의 회복과 사귐의 실현을 위한 실질적인 기능이 있었다는 점에서 하나님의 흔적을 찾아볼 수 있기 때문이다. 우리나라 종교의 기원인 샤머니즘이 주술적이고 기복적이며 자신의 종교적 윤리적 결단을 동반하지 않으므로 비복음적이지만 그 근본에 하나님을 인정하고 타종교와의 연합을 통해 복음이 개입할 수 있는 여지가 있다는 것에 그 가치가 있다라고 할 수 있다. 또 신라 대승불교를 대표한 원효가 외친 一切衆生 同有佛性(일절중생 동유불성)에서 인간의 존엄성을 되찾고 인간 회복을 꿈꾼 것은 복음의 핵심을 반영한 것이며, 一心和諍論(일심 화쟁론)에서 화합을 진리로 외친 것은 복음의 반영이었다. 또 조선 후기 자기중심적 당파근성을 지닌 유학을 극복하기 위해 등장한 실학의 현실 실용주의 사상을 바탕으로 서학(천주교)을 수용하면서 인간 평등과 힘들고 어려운 백성 입장에서 정책을 피려고 했던 노력은 기독교 복음의 실천적 행실을 반영한 것이라 할 수 있다. 일제 강점기 천도교의 侍天主 忍耐天(시천주 인내천) 사상은 인간의 절대적인 존엄성과 주체성을 강조하여 민중 해방과 인권 회복을 위해 동학농민운동을 일으키고, 3.1운동에서 기독교와 함께 주체적 역할을 하였던 것은 우연한 일은 아닐 것이다.

모든 종교는 그 자체가 동일한 진리를 가지고 있지 않기에 그리스도 안에 나타난 복음의 진리를 반영하고 있는 한에 있어서 그 종교가 의미와 진리성을 갖는다고 생각한다. 그래서 그리스도의 복음의 진리를 각기 그 종교 형태와 기능 속에서 어떻게 보존하고 반사시키고 있는가에 그 종교의 존재 가치가 있게 된다. 즉 유태교의 경전이 오늘날 기독교의 경전의 의미를 갖는 것은 그것이 그리스도의 복음을 반영하고 있기 때문이고, 우리나라 무교와 불교와 천도교 등이 의미있는 것은 인간 회복과 인간 구원을 위한 노력에 그리스도의 복음이 반영되었기 때문이다.

중국 역사 속, 기독교

중국이 일본의 침략을 받아 몇 년간 지배를 받을 때 중국인들은 일본의 만행에 고통을 당하면서도 그들의 지배도 오래가지 못할 것이라는 대륙적 포용으로 견디었다고 한다. 역사 속에 중국이 몽골의 차별적 지배를 받았지만 그들을 한족으로 동화시켰고, 만주족의 청나라에 지배를 받았지만 지금 만주족이 한족에 동화되어 없어졌던 것을 경험했기 때문이다. 중국은 스스로를 세상의 중심이라 여겼고, 주변국들을 오랑캐라 하여 조공이나 문화 전파를 통해 주변국을 지배하여 황제 노릇을 하였다. 자신들만이 하늘에 제사를 지냈고, 그들의 문자로 주변국을 지배했고, 조공과 사신을 통해 경제적인 지원과 통제를 하였다. 특히 춘추전국시대에 형성된 제자백가들의 주장들이 사상과 종교로 완성되면서 동양 사상과 종교의 기틀을 마련하였다. 그런 중국의 문화 속에 기독교를 발견한 사례가 있어 소개해 본다. 현재 중국에서 5개 국제학교를 운영하는 첸 카이 퉁씨가 1980년대 예수님을 믿고 1995년 북경의 천단(황제가 매년 풍년을 기원하며 제물을 올리던 곳)에 갔을 때 다른 곳과 다르게 우상이 없다는 것을 발견하고는 중국의 문헌과 역사 속에 계신 하나님을 찾는 글을 썼다.

중국인의 조상은 바벨탑 사건 이후 이주해 온 하나님을 섬기는 사람들인 것을 증명하고 있다. 2,500년경부터 만들어지기 시작한 한자는 기원전 200년경 진시황이 중국을 통일하면서 하나의 문자로 정착하였고, 漢나라 허신의 설문해자에서 이를 잘 설명하고 있다. 우선 8명의 사람(노아 홍수 때 살아 남은 노아의 가족 수)이 글자 속에 새겨져 있다. 船(큰배 선, 舟(배 주) + 八 + 口 = 8명의 사람이 탄 큰 배를 뜻한다), 洪(큰물 홍, 水 + 共(함께 공, 八) = 8명의 사람이 물에서 함께 살아남을 뜻한다), 沿(따를 연, 水 + 八 + 口 = 8명의 사람이 물을 따라 내려간 연혁을 뜻한다). 둘째 생명(창2:7, 진흙으로 빚은 아담에게 생기를 불어 넣으심)이 글자 속에 새겨져 있다. 造(지을 조, 土 + 丿(생명) + 口 + 辶辵(걸을 착) = 흙에 생명을 넣어 말하고 걸었음을 뜻한다). 셋째, 하나님(우리의 형상대로 지으신 삼위일체 하나님)이 새겨져 있다. 示(볼 시, 一(하늘) + 一(땅) + 小(세 사람) = 하늘과 땅을 이어주는 세 사람은 하나님을 뜻한다. 이는 工(하늘, 사람, 땅의 천지인)과 爪(하늘과 세 사람)에서 더 잘 나타난다), 그래서 신과 관련된 글자로 祈禱(기도), 福(복), 禍(화)가 있고, 神(신, 에덴동산을 펼치신 하나님), 禪(선, 하늘에 제사드림), 祖(조, 할아비), 社(사, 토지신), 祀(사, 제사), 禮(예, 예절) 등이 이에 속한다. 특히 삼위일체를 뜻하는 한자로는 靈(신령 영, 一(하늘) + 冖(덮을 멱) + 水(물) - 비 雨 는 성령, 口 3개는 세 사람, 巫 무당은 세 사람 = 하늘에서 세 사람이 내려와 인간에게 나타난 신령)이 있다.

또한 고대 중국인들이 숭배하는 상제(上帝, 상띠)는 하나님이라는 사실을 공자는 5경에서 창조주와 인간의 삶을, 사마천은 사기에서 하늘과 인간의 모든 것을 알기 위해 쓴 것이라 하였다. 중국인들은 상제인 하나님(God)을 우주의 최고 통치자로, 죽은 황제나 현재의 황제를 잡신(god)으로 신격화하여 땅의 최고 통치자 또는 신의 부 섭정자로 인식하고 있었다. 그러다가 진시황제가 전국을 통일하면서 황제를 하나님처럼 인정하게 되었고, 용을 최고의 신처럼 모시게 되었다. 중국에서는 오직 황제만이 하늘에 제사를 드렸고, 제천을 신성시해왔고, 그 의미도 성경에서 말하는 대속제사와 비슷하다. 또한 중국에서는 어떤 혈맹이든 중요시 여기는데 이는 성경의 피 흘림에 대한 언약을 계승한 것이다.

또한 고대 중국 역사 속에서 지도자들은 건국 제왕인 黃帝(진시황의 皇帝가 아님)를 천자로 불렀는데 천자는 하늘로부터 통치권을 위임받아 하나님의 도를 행사해야 하는 존재로서 그 후에 백성 사랑과 홍수 관리 능력, 선양의 전통을 세운 요, 순, 우 임금들과 잘못된 정권을 무너뜨린 상의 탕왕과 주의 우왕과 주공을 중국 최대의 지도자로 섬기고 있다. 더욱이 기독교와 관련하여 직접적인 증거는 5세기경 로마에서 이단으로 추출된 경교(네스토리우스교, 431년 에베소 공의회에서 예수의 인성을 강조해 이단으로 몰림)가 인도를 거쳐 중국으로 전파되어 파사교, 대진교(로마교)로 불려지면서 7세기경 당나라에서 국교가 되었다는 사실이다. 이때 세워진 커다란 경교비가 17세기에 발견(하나님, 예수, 구원 등 기록)되어 당시 기독교 중심의 사상 체계를 알 수 있다.

그리고 16세기 예수회 선교사로 중국에 천주교를 전하기 위해 찾아온 마테오 리치는 중국어를 배우고 중국 문화(유학자 복장 및 생활)를 통해 기독교 전파에 힘쓰며 황제에게 다가가려고 노력하여 천문적 일식을 정확히 계산하는 등 궁중에서 중요한 일을 맡게 되었다. 이후 존 테렌티우스, 아담 샬, 페르디난드 버비스트의 노력으로 청의 강희제가 천주교를 믿게 되었는데, 외교적으로 로마의 교황이 이들을 이단으로 취급(프란체스코회와 도미니코회의 수도사들이 중국에서 잘 나가는 예수회를 견제하기 위해 중국의 조상 숭배를 인정하지 않음)하는 바람에 강희제가 돌아서게 되었다는 역사적 상황은 천주교가 전파되는 과정에서 가장 큰 아쉬움이라 여겨진다.

일본의 근대화, 현대판 징비록

우리는 일본에 대하여 결코 좋은 감정을 갖을 수 없다. 500여년 전 임진왜란의 침략과 100여년 전 일본 제국주의의 침략으로 인한 민족적 수난과 아픔을 경험했기 때문이다. 특히 근대화 과정에서 대동아 공영권이라는 명분 아래 우리나라를 36년간 지배하며 저지른 각종 수탈과 경제적, 정신적 지배, 그리고 그 과정에서 정립된 식민지 사관은 아직까지 각 분야에 남아 영향을 미치고 있다. 그러나 외교 관계에서 아직도 침략에 대한 사과나 반성도 없이 독도 영유권까지 주장하니 민족적 관점에서 일본을 좋게 볼 수가 없다. 그러나 미운 건 밉더라도 그들이 대륙을 침략하고 아시아의 강국으로 미국과 대결할 정도의 군사력을 갖추고 정신을 무장할 수 있었던 현실적 역사를 인정한다면 류성룡이 임진왜란 후 징비록을 통해 전쟁을 대비하고자 하는 마음만큼 이제는 현대판 징비록으로 일본의 근대화를 통해 교훈을 얻어야 할 것이다.

일본이 우리나라를 침략한 임진왜란과 을사조약 등에 있어서 단순한 시대 상황에 따른 침략이 아니라 일찌감치 준비해왔다는 사실이다. 그 증거는 다음과 같다. 첫째, 일본은 1543년 포르투칼 페치선이 가고시마 항구에 걸려 정박하자 당시 가고시마 도주 15살의 도키타카가 2정의 화승총을 구입해 철포를 국산화하여(총열 나사를 만들어 내지 못해 외동딸을 포르투칼인에게 시집보내 기술을 알아냄), 10년만에 30만정 생산(선조때 왜 상인의 선물을 받아 실제로 만들었으나 모든 관료들은 이를 힐난하고 창고에 보관함)하였고, 이로 조선을 침략하였다. 둘째, 일본에 1549년 예수회 프란치스 자비에르가 나사가키에서 첫 포교를 한 후, 1582년 기르스탄 다이묘 오무라가 교황 접견을 위해 12세의 소년 4명을 로마에 보내 8년 만에 귀국시켰다.(도요토미는 이들을 통해 유럽문화를 수용함) 셋째, 1637년 쇄국정책으로 카톨릭과 포르투칼 상인을 추방했으나 그들이 사용했던 나가사키의 인공섬 데지마 상관을 개신교 네덜란드 상인들에게 주어 외국 문물을 수용하고, 1600년 표류한 영국인 애담스에게 유럽식 선박을 건조하게 하였다. 넷째, 1808년 영국 군함 페이튼호 사건으로 막부는 영어 학습을 명령(난학에서 영학으로 전환, 6천단어 사전 발간)하였고, 1840년대 일본은 나가사키의 네덜란드 상인들에게 정기적으로 막부에 보고서를 제출하게 하여 국제 정세를 앉아서 읽으며, 1854년 미국과의 조미통상조약을 계기로 서구 진출을 본격화하여 서양 총포술 도입, 근대 용광로로 철조대포 주조, 란가쿠료 학교 건립, 1855년 데지마 군함 제작,

1860년 견미사절단 파견, 네덜란드에 유학생 파견 등 근대화를 추진하였다. 1871년 일본은 고위 관료와 유학생 107명의 이와쿠라 사절단이 미국으로 여행을 가서, 영국의 산업, 미국의 언론, 스위스의 교육, 독일의 법률을 정책에 적용하였다. 다섯째, 일본의 근대화를 이끈 메이지 유신 3걸인 요시다 쇼인(견문을 넓히며 서양 학문을 배워 일본화해서 아시아를 상대로 펼치자고 하여, 정한론, 대동아 공영권 사상의 기반을 닦고, 그 제자들이 근대 일본의 중추적 역할을 담당하는데, 1863년 죠수번의 5걸인 이토 히로부미, 야마오 요조, 이노우에 가오루, 엔조 긴스케, 이오누에 마사루를 영국에 유학 보내 런던대에 입학시킴), 그 제자 사이고 다카모리(1866년 샷초동맹을 체결하고 일본 내전 보신전쟁에서 협상을 통해 에도성을 열어 막부를 타도하여 메이지 유신을 성공시킴). 사카모토 료마(서양 문물과 개화사상을 수용하고, 무역 상사를 설립해 샷초동맹을 성공시켜 동맹군이 막부 토벌 운동의 중심이 됨) 등의 선각자들이 있었다. 일본이 각 시대마다 현실을 직시하고 상황을 준비할 줄 알았던 선각자들에 의해 강국으로 발전할 수 있었던 역사에서 현실주의자와 실용주의자들의 태도를 배울 만하다.

그러나 일본은 선각적 발전을 악하게 사용하여 대륙 침략이라는 엄청난 일을 저질렀고 그 아픔으로 주변 국가에 커다란 빚을 지게 되었고, 결국 미국과의 2차 세계대전에서 패전하면서 미국에 의해 전쟁을 할 수 없는 평화헌법을 만들어 살아오게 되었다. 그런데 전쟁을 경험한 세대는 이를 수용하지만 전후 새로 교육을 받은 세대는 일본의 군국주의와 제국주의로의 회귀를 꿈꾸고 있다는 사실이 두려움으로 다가온다. 일본은 예부터 수많은 신사를 두어 많은 신을 모셨는데 메이지 유신 때 일왕은 살아있는 신으로 선포하면서 국가 신도를 창시해 신도를 사실상의 국교로 삼아 모든 종교의 자유를 주되 먼저 신사참배를 하게 하였다. 전쟁 중에 국가는 일왕을 위해 싸우다 죽게 가르쳤고, 죽으면 야스쿠니신사에 신으로 받들어 가족들을 감동시키며 제국주의 전쟁을 정당화시켰다. 또한 그들의 전쟁은 백인의 지배를 받은 아시아를 해방시켜준 전쟁으로 합리화하여 전쟁에 대한 책임과 반성은 가질 필요가 없으며, 전쟁 중 점령한 영토를 자기 영토라 가르치고 역사를 왜곡하다 보니, 집단주의적 사고를 통한 왜곡된 교육은 전후 세대들인 지금의 젊은이들은 일본의 영광과 강대국을 꿈꾸게 되었다. 또한 일본은 전후 인적자원 육성에 교육 목표를 두어 아이들을 끝없는 경쟁에 내몰기도 하였다. 일본을 방위하기 위해 전쟁을 할 수 있는 나라가 되어야 한다는 헌법 개정에 젊은 세대는 70%가 넘게 찬성하고 있다고 한다. 전쟁이후 일본의 잘못된 교육관 밑에서 성장한 젊은 세대들의 또 다른 범죄를 저지르지 못하도록 이제는 우리나라 젊은이들이 바른 교육을 통해 국제 정세를 잘 파악하는 실제적인 준비로 이러한 일본의 생각을 미리 알아 대처하고 선제적으로 이끌어 가기를 기대한다.

기독교의 역사, 그 시작

예수님이 태어나 공생애를 지내시고 죽으시고 부활하신 후 승천하시기까지 33년의 생애는 로마가 주변국을 점령하면서 공화정으로 발전하며 강력해지던 시기와 일치한다. 제자들에 의해 예수님의 복음이 전파되던 시기에 로마는 유대를 점령하였고, 초대교회가 발전하던 시기에 로마의 박해를 받으면서 지하 카타콤으로 들어가 신앙을 지키게 되었다. 로마가 제국 말기 게르만의 침공으로 어수선해지면서 기독교의 사상과 신앙 형태가 정치적으로 필요해져 로마가 기독교를 공인하면서 기독교는 체계적인 종교로 발전하게 되었다.

로마인들은 현세를 중요시하여 그들이 믿는 신들도 인간이 살아가는데 도와주는 수호신으로 여겨 황제가 사제가 되어 매년 제사를 지내거나 개인적으로나 국가적으로 위기를 당할 때 도움을 요청하는 기원을 올리기도 했다. 그래서 종교적으로 타 민족의 종교에 대해 현실의 국가적 반체제 성격만 없으면 간섭하지 않았다. 기독교에 대해서도 초기에 로마 시민들은 단지 기독교가 자신들이 믿는 신을 포교하는 것에 대해서 약간의 불만이 있기는 했지만 별 관심을 갖지 않았다. 그러다 네로 황제 때 로마 대화재를 기독교인들의 방화라고 뒤집어 씌워 5차례 박해를 집행했고, 트라야누스 황제 때 3차례 박해, 로마 주피터 신께 기도를 거부한다는 이유로 디오클레티아누스 황제 때 대박해가 집행되었다. 그러나 로마 말기에 이르러 야만족의 계속적인 침입과 로마 군대의 약화로 인한 불안한 시대에 로마의 신들이 도움이 안 되고 현실적인 불안과 염려로 희망이 없는 가운데 천국을 제시하는 기독교의 배타적 절대신을 인정하게 되었다. 즉 불안한 시대에 기독교의 절대적 구원관과 천국의 희망, 누구에게나 차별하지 않는 개방성, 유대의 할례와 다른 세례를 통한 편하고 손쉬운 입교, 기독교인들의 상부상조의 공동체 정신 등은 기독교의 신이 수호신이 아니라 인간이 살아가는 길을 지시하는 절대신으로 믿어지면서 로마 공직과 군단에 기독교 진출이 허락되다가 313년 로마의 모든 종교를 인정하는 밀라노칙령이 콘스탄티누스와 리키니우스 황제에 의해 선포되었다. 이후 600명의 주교가 모인 니케아종교회의에서 아리우스파, 도나투스파, 네스토리우스파의 이단을 추출하고 삼위일체 교리의 아타나시우스파가 정통이 되고, 이후 로마에서 교황이 선출되면서 카톨릭 교회의 기반을 다지게 되었다.

성경에서는 예수님이 승천하시고 제자들에 의해 전파되어

세워진 초대 교회가 예수님을 직접 경험하고 죄에 대한 회개와 구원의 복음 전파, 이웃에 대한 사랑과 구제를 위한 성도들의 교제와 주님께 대한 예배를 잘 말해주고 있다. 사도행전 2장은 이 때 초대교회의 모습을 생생하게 전하고 있다. 이후 로마의 박해로 기독교인들은 카타콤이라는 지하 교회를 만들었고 약 300년간 기독교 신앙을 유지해오다가 313년 콘스탄티누스 대제의 밀라노 칙령으로 기독교가 공인되고, 325년 니케아종교회의에서 아타나시우스파의 삼위일체를 정통으로 인정하고, 66권의 성경을 정경화하면서 기독교의 정통과 교리가 세워지게 되었다.

당시 가장 강력한 교회는 알렉산드리아(빌립이 에티오피아 간다게 내시 전도의 기록)이었으나 계속적인 감독들의 모임을 거쳐 381년 콘스탄티노플 공의회에서 로마 교황이 지상권(베드로의 교회 반석과 천국 열쇠, 로마 순교를 근거로 그리스도의 지상 대리자 역할)을 인정받아 교회는 보편적 교회, 카톨릭이라 이름하게 되었다. 이후 로마 각 곳에서 게르만이 침입해 476년 로마가 멸망하자 게르만에 의해 세워진 국가의 황제들은 로마의 수준 높은 문화를 필요로 했고, 로마 교황은 세속적 무력의 힘이 필요해 서로 결탁하였다. 우선 무식한 게르만인들을 믿게 하기 위해 예수님의 화상인 우상을 중시했고, 이교도들의 여신 숭배를 마리아 숭배로 대신하게 되었고, 점차 교황이 세력 위에 군림하면서 600년 그레고리 1세 때 교황이 신격화 되면서 카톨릭은 성경과 상관없이 세속화되기 시작하였다.

조선의 위기, 관념론과 현실론

과거 조선 백성들의 생활을 드라마로 본다면 죽지 못해 살아야 하는 고달픈 현실을 보게 될 것이다. 그러나 당시 양반들과 조정의 사대부들은 성리학의 관념에 빠져 현실보다 명분을 중시하며 임진왜란과 병자호란이라는 커다란 위기에 빠지게 된다. 삶의 위기를 당할 때 삶이란 이상적이고 추상적이며 좋은 언어를 구사하며 사는 것이 아니라, 땅을 딛고 사람들과의 부딪힘 속에 치열하게 싸우며 살 수밖에 없는 현실이고 실제인 것을 알게 된다. 그런 의미에서 조선이 위기를 당했을 때 관념론과 현실론의 대립 결과가 어떠한 결과를 초래했는지 살펴 보고자 한다.

임진왜란이 일어나자 왜군에 의해 동래와 부산이 무너지고 조선군의 마지막 방어선인 탄금대가 뚫리면서 20일 만에 한양이 점령당했다. 의주로 피난한 선조는 국가를 지키고 백성을 보호하기 보다 자신의 안위를 걱정하는 데만 집착하였고, 신하들조차 말로만 싸웠다. 그래서 선조는 왕권의 안위를 위해 아들 광

해군에게 분조로 싸우게 하고, 잘 싸우고 있는 이순신을 모함해 삭탈관직시키고, 도원수 권율을 파직했으며, 전라도 의병장 김덕령을 살해하고, 경상도 의병 영웅 곽재우를 귀양 보냈다. 조선은 현실을 무시한 성리학 이념에 빠진 관념론자들이 지배하는 나라였기 때문이다. 실력과 실용을 경시하였고, 당파 간에 명분의 싸움에 목숨을 걸었고, 성리학의 도덕과 윤리를 말하면서 사리사욕을 챙겼다. 그러나 위기를 극복한 사람들은 현실을 직시한 사람들이었다. 이순신은 준비된 실력으로 싸워 백전백승을 이루었고, 류성룡은 백성들을 아우르며 실용적 개혁과 군량미 조달로 전쟁을 뒷받침하였고 전쟁 후 반성을 위한 징비록을 남겼다. 곳곳에서 일어난 의병장은 힘없는 정부군을 대신해 내 지역을 지켰다. 결국 전쟁이 끝나면서 이순신은 마지막 해전에서 전사하고, 같은 날 류성룡은 파직 당했다. 냉대 받은 의병장들은 초야에 묻혔다. 그러나 선조는 피난 행렬을 수행한 신하 120명에게 논공행상을 나누어 주었고, 조정은 또 다시 관념파로 불릴 만한 성리학 원리주의자들이 장악하면서 30년 뒤 병자호란의 참화를 되풀이하게 된다.

병자호란 당시 인조 주변의 공신들 중 명나라에 대한 명분에 오랑캐나라 청을 무시한 척화파가 95%였고, 강대해진 청을 인정하고 현실을 주시한 주화파는 5%였다. 결국 남한산성 40일간의 항쟁 끝에 대다수의 척화파를 물리치고 항복을 이끈 이는 현실주의자 주화파 최명길이었다. 최명길은 공부에 천재여서 일찌감치 과거에 급제했고, 인조반정의 1등 공신이 되었으나 병조좌랑이었을 때 숙직을 잘못했다고 하여 가평으로 유배되어 주역을 백번 넘게 읽고 양명학을 공부하면서 그의 생각과 행동이 바뀌었다고 한다. 즉 시대감각을 갖추게 되었고, 미래를 예측하게 되었고, 특히 당시 짐승처럼 여겼던 오랑캐를 인정하는 등 철저한 현실주의자가 되었다. 남한산성의 저항 끝에 항복문서를 쓰고 있을 때 김상헌이 이를 찢자 대감같이 찢는 사람도 필요하고 나처럼 조각을 붙여야 하는 사람도 있어야 한다는 말을 남겼다. 또 최명길은 이후에 전쟁 포로가 조선에 돌아올 수 있는 속환 금액(몸값)을 제한시키고, 심양서 돌아오는 길목마다 여관을 짓도록 하는 대책을 세우고, 또 환향녀를 이혼시켜야 한다는 정책에 반대하며 약한 자를 공감하는 정책을 세워 나갔다.

400여 년 전에 있었던 왜란과 호란에서 배우는 교훈은 무엇인가? 한 나라의 정책이나 한 개인의 결정에 있어서 명분은 그 주도자의 철학이고 방향성이며 실리는 현실의 먹고 사는 문제이다. 명분이 있기에 삶의 이유가 있고 사람들에게 예의 바를 수 있다. 실리가 있기에 현실에서 굶지 않고 잘 살 수 있다. 그러나 이것들이 극단적으로 치닫게 될 때 고집스럽고 사리판단을 못하고 불경스러우며 굶주림 속에 짐승처럼 살게 된다. 그러나 살아가면서 위기를 맞을 때 관념과 명분과 이상보다 실리와 실용과 현실이 더 중요함을 느낀다. 아무리 좋은 말이라도 먹고 사는 게 중요하다. 도덕과 윤리적 요구, 관념과 명분의 주장, 신앙과 믿음의 표현도 중요하지만 어려움에 대비하려는 행동, 실력을 쌓는 실용적 태도, 주변 상황을 보는 현실적 판단, 힘들고 어려움을 당하는 약자에 대한 관심, 그리고 수용하고 함께하는 협력이 필요하다. 살아가며 중요한 것이 현실을 바로 보는 태도이다. 현실을 알고 상황을 준비할 때 보다 더 나은 삶을 살 수 있고 생각지 않게 닥치는 위기를 극복할 수 있다.

믿음에 있어서도 교회와 세상을 구분하여 성결과 세속으로 나누는 이분법적 신앙이 아니라, 세상의 모든 것은 하나님의 피조물로 죄로 인해 세속화된 세상의 잘못을 회복하고 개혁하려는 태도가 필요하여 현실을 바로 보는 것이 중요하다. 회복하고 개혁하려는 태도는 말씀을 듣고 은혜 받았다고 즐거워하는데 그치는 것이 아니라 믿음의 행동으로 회복과 개혁에 참여하는 태도이다. 즉 하나님의 은혜와 구원의 기쁨과 천국의 소망만을 기대하며 현실과 동떨어진 죽은 믿음이 아니라 현실에서 실제로 행함으로 살아있는 믿음이 되어야 하기 때문이다. 결국 관념과 명분도 현실과 실천이 있을 때 의미가 있듯이 믿음과 소망과 사랑도 순종과 헌신과 행함이 있을 때 의미가 있는 것이다.

우리나라 근대의 시작, 실학과 정약용

실학의 연구가 본격화된 것은 일제의 식민지 과정에서 자신들이 조선을 근대화시켰다는 것에 한국 근대화 자생론에 실학이 그 역할을 하였다는 주장에서 비롯되었다, 그래서 실학은 조선의 오랜 성리학의 관념론에서 벗어나 조선 후기 내부 모순을 개혁하고 서양 기술과 종교를 수용하며 백성들의 빈곤 탈출과 사회 제도 개혁의 필요성을 제시함으로 우리나라 근대화의 태동을 보여주는 실용주의적 학문으로서의 의미를 갖기에 충분하다.

조선시대 4색 당파에 의한 붕당 정치는 일제 식민지사관에서 말하듯 당파싸움으로 조선이 망했다는 결과론적 주장이 아니라 조선의 붕당 정치는 의리와 신뢰를 바탕으로 상호 견제와 균형을 이루고 치열한 비판 의식으로 정치한 서양의 의회 제도 이상의 성숙된 정치 형태였음을 알 수 있다. 이는 사림이라고 하는 당시 선비들이 고품격의 인성과 지성을 가지고 격물치지(사물을 바로 보아야 지식을 얻게 됨)와 수기치인(자신이 수양하여 타인을 다스림)의 정신으로 학문을 연마하고 그를 바탕으로 타인에게 봉사하는 사대부로서 굳굳한 선비 정신을 가졌기 때문이다. 이들은 철학과 역사와 문학에 뛰어났고, 끊임없는 연마로 글씨와 그림과 시를 지을 줄 알았다. 특히 임진왜란 이후에 백성들의 삶이 힘들어지고 이농 현상에 따른 자유 상공업이 발달하면서 실용주의적 삶에 대한 필요가 대두되며 나타난 실학은 1) 경세치용(세상 경영은 실용으로 다스림, 농촌 중심의 중농학파, 이익), 2) 이용후생(편리한 기구를 사용해 백성의 삶을 잘 살게함, 도시 중심의 중상학파, 박지원), 3) 실사구시(사실을 토대로 진리를 구함, 국학파 안정복와 중국의 고증학과 양명학, 서양 학문과 과학 기술 수용)를 제시하며, 백성들의 부담을 줄이고, 국가 재정을 채우며, 더 나은 세상을 만들기 위해 토지 개혁과 수리 시설 확충, 서민 중심의 상업 발달, 도구와 기구를 활용한 편리한 생활과 넉넉한 삶을 추구하며 인간 평등을 주장하는 데까지 이르렀다. 이러한 실학적 사고는 땅을 딛고 사는 사람들의 삶과 사람의 평등과 인권의 중요성에 관심을 갖으면서 결국 서학의 수용과 함께 큰 변화의 계기를 마련했지만 몰락한 양반들의 주장에 그치고 정치적으로 천주교 박해에 이용당하여 일당 독재인 노론의 세도정치로 타락하게 된 아쉬움을 남기게 되었다. 그러나 이때 실학을 집대성한 정약용 선생의 업적은 지금도 우리에게 많은 것을 남겨 주었다.

정약용의 아버지 정재원은 사도세자에 대한 음모에 현재 남양주의 마재로 낙향하여 사도세자가 죽은 해에 정약용을 낳았다. 정약용은 어려서 귀농(歸農)이라 불려지고 7세에 시를 짓기 시작하여 11세에 시집을 내자 삼미집(천연두로 눈가에 종기가 나서 눈썹이 3개라 함)이라 지어주었는데 약용은 친구들이 삼미라 놀려도 화내지 않고 웃어넘기는 선한 성품을 갖았다고 한다. 정약용의 형제들은 우리나라 최초의 천주교 신자가 될 수밖에 없는 친척 관계를 갖고 있다. 맏형 정약현의 부인은 최초 천주교 신자 이벽의 누이이고, 약현의 사위는 홍사영 백서 사건의 주인공 홍사영이다. 셋째형 정약종은 최초 한글로 천주 교리를 발간하고 주문모 신부를 모시며 전도한 일등 신도였고, 신유박해에 형제들을 살리고 아들 정하상과 함께 순교 당하였다. 정약용 누이의 남편이 이승훈이고 외육촌이 최초의 순교자 윤지충이다. 정약용도 17세에 이벽을 만나 천주교를 믿게 되었고, 이후 천진암 수어사에서 강학회를 통해 이익의 제자 권일신의 학문을 이어받고 이벽의 서학을 믿어 이승훈에게 세례까지 받게 되었다. 그래서 정조의 사랑을 받으며 관직에 올랐지만 노론의 견제를 받아 탄핵 당하거나 좌천되기도 하다가 결국 신유박해와 황사영 백서 사건으로 전라도 강진으로 18년간 유배 생활을 하게 되었다. 여유당(망서릴 여, 주저할 유)이라는 호를 지어 겨울에 개울 건너듯 두려워하며 빠지지 않도록 조심히 살라는 마음으로 지내며 다산 초당에서 초의선사와의 만남과 가까웠던 외가인 윤선도 후손들의 교류를 통해 그동안 쌓은 학문을 500여 권의 책으로 정리하며 실학을 집대성하여 후대에 위대한 사상가로서의 추앙을 받게 되었다. 성경의 요셉이 형들에게 팔려 이집트 노예가 되었지만 20년 간의 어려움을 이기고 이집트 총리가 되어 주변의 죽어 가는 사람들을 살리게 된 것처럼 정약용의 유배는 그에게 고통스러운 일이었지만 후대에 위대한 작품을 남겨 주변 사람들에게 선한 영향력을 끼친 것을 보면 위대한 사람들의 삶을 되돌아 보게 된다. 특히 유배 중 300편이 넘는 자식들에게 보낸 편지에서 서울 근교를 떠나지 말고 좋은 정보를 얻으며 학문을 게을리하지 말아라, 죄인의 아들이라 벼슬은 하지 못하더라도 말과 행동과 얼굴빛을 관리하며 성인으로서의 태도를 갖추라는 등 아비의 훈계로 자녀들을 돌보았다. 집필 중 가장 중요시 여겼던 주역사전은 자신의 뜻이 하늘의 뜻과 맞는지를 알아보기 위해 연구한 개인 삶의 역경을 이기려고 했던 노력으로 다른 모든 책이 없어지더라도 이 책만큼은 잘 보존되기를 바라는 마음을 남겼다. 유배를 마치고 고향으로 돌아와 자신의 삶을 다른 이들이 왜곡할까봐 60세에 썼던 자찬묘지명에서 사서오경으로 자기 몸을 닦고, 일표이서로 세상을 다스리며, 인과 사랑의 이치를 구체적으로 실천하려고 애쓰며, 공자의 恕(남의 처지를 헤아릴 서)로 살려는 마음(내가 싫은 것을 남에게 하지말며, 백성들의 힘든 노역으로 낸 공물을 차마 먹을 수 없다는 측은지심)을 표현하였다. 이러한 마음과 그의 경세유표, 목민심서, 흠흠신서에 나타난 사상은 기독교의 사랑의 마음과 이웃 배려의 실천이었고 할 수 있다.

조선 후기 현실을 직시한 실용주의 학문인 실학과 이를 집대성한 정약용은 우리 민족의 어진 마음과 이웃을 배려하며 잘 살도록 도와주는 리더의 모범을 보여 준 참된 스승이었다. 천주교 박해로 인한 18년간의 힘든 유배 생활이었지만 그로 인해 위대한 작품을 남겨 준 것은 그의 사대부로서의 선비 정신의 결과이기도 하다. 이는 사마천이 궁형을 당해 위대한 역사서 사기를 남긴 것이나, 사도 바울이 감옥에서 옥중서신을 적고, 사도 요한이 밧모섬으로 유배되어 요한계시록을 남긴 것과 같이 인류를 위한 위대한 발자취이며 역사를 이끄시는 하나님의 선물이 아니었을까 생각이 든다.

근대를 세운 현실주의자, 아리스토텔레스

로마는 전쟁을 통해 식민지의 문화를 수용하면서 실용주의적 삶에 익숙해 있었다. 철두철미한 원칙론을 뜻하는 FM(Field Manual)이라는 말도 로마가 전쟁을 위해 길을 낼 때 대충하지 않고 철저히 다지며 모든 길은 로마로 통한다는 말에서 유래하였다. 그러한 로마가 멸망하면서 유럽의 영적 세계를 담당한 카톨릭의 교황과 수도원에서 플라톤의 이상주의를 강조하면서 아리스토텔레스의 지식의 보고였던 알렉산드리아 도서관의 인류 문화 유산이 이슬람에게 넘어갔다. 아리스토텔레스의 지식은 시리아로 넘어갔고 이를 이슬람의 알마문왕이 지원하고 번역하면서 화학, 천체관측, 의학(아비센나, 종합병원), 음식, 동식물학 등 이슬람 문화를 꽃피우게 되었다. 이 동안 유럽은 교황 통치의 암흑 시대 하에 봉건 제후 간의 끝없는 전쟁을 하다가 셀주크 투르크가 비잔틴을 점령하자 비잔틴제국이 서방 교황에게 지원을 요청하여 일으킨 십자군전쟁에 참전하면서 이슬람 문화를 수용하는 계기가 되었다.

즉 8차에 걸친 200년의 십자군 원정을 통해 유럽에 이슬람 문화가 들어오게 되는데, 특히 12세기 이슬람에서도 아리스토텔레스 철학을 무시하고 지원하지 않아 이슬람 문화가 쇠퇴하면서 스페인과 이탈리아에서 이슬람 문화를 번역하면서 아리스토텔레스의 가치를 재발견하게 되었다. 바로 이것이 근대 유럽 문화 발전의 징검다리가 되었고, 유럽 르네상스의 계기를 마련해 주게 되었다. 특히 토마스 아퀴나스는 아리스토텔레스 철학을 수용하면서 나름대로 수정 정리한 스콜라 철학을 완성하고, 이를 계승한 유럽 각지의 철학자들에 의해 르네상스가 시작되었고, 근대화를 이루는 바탕이 되었다. 중세 신의 이름으로 행해진 삶에서 인간의 먹고 사는 문제에 관심을 갖기 시작했고, 신 중심의 학문에서 인간을 연구하는 인문학이 등장하였으며, 신을 찬양하고 표현하는 예술에서 인간의 모습을 그리기 시작하였다. 이를 바탕으로 왕권 중심의 국가가 등장하여 국방력을 강화하기 위해 무역을 통한 경제가 발전하면서 자본주의가 싹을 텄고, 사람들이 먹고 살다보니 시민의 권리를 찾으면서 민주주의가 등장하고, 객관적 사실을 증명해가는 과학이 발전하게 되었다. 그러한 일련의 과정은 그리스 로마 시대로 돌아가 현실을 직시하고 실용주의를 내세운 아리스토텔레스가 주장한 내용들이 하나씩 이루어져 가는 과정이었다.

아리스토텔레스는 서구 철학계에서 가장 큰 영향을 끼친 최고의 철학자이며, 형이상학, 논리학, 정치학, 윤리학, 자연철학,

과학, 생물학, 의학, 시학, 미학 등 인간이 할 수 있는 모든 분야에 통달하고 그것들의 기초를 마련한 철학자로 모든 학문의 시조이자 아버지라 불려진 인물이다. 유럽에서 카톨릭이 시작하면서 플라톤의 이상주의에 빠져 현실과 동떨어진 삶을 살다가 12세기 아랍어를 번역해 아리스토텔레스 철학을 수용하면서 유럽인의 생각과 삶에 변화를 일으켜주어, 이후 유럽의 정신 세계는 종교 개혁의 대변혁을 통하여 교황 통치하의 구속된 금욕 생활에서 성경을 바탕으로 하는 하나님의 은혜를 강조하는 삶 속의 신앙을 되찾게 되었고, 물질 세계는 과학 혁명과 산업 혁명을 통하여 신의 통제에서 벗어나 인간 중심의 실제적인 삶과 생활의 발전을 이룩하게 되었다.

역사속의 기독교, 기독교 유적 답사

나는 역사 교사로 교과서 속의 역사보다 우리 주변의 문화재를 통해 살아있는 역사를 가르치기를 좋아하여 학교에서 동아리 중심의 답사 활동이나 학생 전체 수학여행, 혹은 교사들 연수 때 들리던 문화 유적지 답사에 해설을 담당하곤 했다. 관리자가 된 이후 학부모와 함께 한 학기에 한번 토요 답사를 진행하다가, 이를 교회에 도입해 토요일 버스를 대절해 기독교 유적지를 중심으로 활동을 구성하게되었다. 버스 안에서 그와 관련된 역사와 인물과 사실들을 기독교 세계관의 관점에서 1,2시간 강의를 하고 현장에서 이를 확인하며 좋은 반응을 얻었다. 우리 주변에 흩어져 있는 기독교 유적지를 답사하고 공부하다 보면 우리의 현실과 역사 속의 기독교를 다시 확인하며 삶의 지혜를 얻는 좋은 기회가 될 것이다.

1. 양화진 순교자 묘원, 현충원, 서대문 형무소 답사

양화진은 한강의 옛 나루터로 그 맞은편에 1866년 프랑스

침입당시 천주교인들의 피로 복수했던 병인박해의 순교지 절두산이 있다. 광혜원의 2대 원장 헤론이 갑자기 이질로 사망하자 제물포로 이동하지 못하고 이곳에 매장한 이후 선교사들과 그 가족 묘지로 사용되었던 것을 한국 기독교 100주년기념회에서 선교사 묘지로 삼았다. 언더우드(4대 거쳐 7명 묻힘), 아펜젤러(배 침몰 때 조선인 구하고 사망), 헐버트(한국인보다 한국을 더 사랑한 미국인) 등 145기가 모셔져 있다. 양화진과 더불어 현충원(무명용사비, 독립운동가, 대통령 묘지 참배)이나 서대문형무소(독립 운동가들의 활동 및 감옥 관람)를 볼 수 있다.

2. 근대 기독교 유적지 답사

환구단(대한제국 선포와 하늘에 제사), 덕수궁, 중명전(근대 고종 황제의 역할), 러시아공사관(대한제국의 수난), 배재학당(아펜젤러 선교사와 근대 기독교 교육), 정동교회(우리나라 최초의 감리교회), 이화학당(스크랜튼 선교사와 여성 독립운동)을 돌아보며 우리나라 근대사에서 기독교의 역할과 인물을 통한 근대화의 발전을 돌아볼 수 있다.

3. 이천 기독교순교자박물관, 기독교역사박물관 답사

양지 기독교순교자박물관에는 한국 기독교 100주년기념회에서 건축해 주기철 목사(일제강점기 신사참배에 저항), 손양원 목사(6.25때 공산주의에 반대) 등 기독교 신앙을 지키다 순교 당한 분들의 존영 330여명과 유품들이 전시되어 있다. 이천 기독교 역사박물관은 향산 한영제 장로가 기독교 출판사를 운영하시다 그동안 모아 온 기독교 관련 유물들을 전시하고 있는데 평양의 장대현 교회를 재현한 건물도 있다.

4. 양평 정약용 생가, 두물머리, 천진암 답사

우리나라 실학 발전과 천주교 전래에 앞장선 정약용 일가에 대한 소개와 그들이 처음 이벽, 권철신 등과 함께 천주교를 연구한 북한강, 남한강 만난 두물머리 너머에 있는 천진암을 답사했다. 천진암은 현재 천주교에서 우리나라 최대 성당을 100년에 걸쳐 세우는 계획을 갖고 있어 우리나라 최초의 천주교 발상지에 대한 기념과 우리 민족의 종교성에 대해 이야기를 나눌 수 있다.

5. 서산 마애삼존불상, 해미성지, 해미읍성 답사

백제의 미소 마애삼존불상을 통해 불교 속의 기독교를 소개하고, 1866년 병인박해 이후 천주교 신앙을 지키려다 순교 당한 무명 순교자의 고향(1935년 발굴 되기 시작해 순교자 2,000여명 중 132명 유골 발굴)으로 인정받은 국제순교성지 해미성지와 해미읍성을 방문해 천주교 신앙을 나눴다. 특히 천주교 시작의 역사를 배우고 천주교의 교리와 개신교의 차이를 나눌 수 있다.

6. 강화도 애기봉, 박물관, 성공회, 고인돌 공원 답사

문수 산성의 애기봉에 올라 북한 주민과 통일을 위해 기도를 드리고, 전쟁박물관, 기독교역사박물관, 강화박물관, 자연사박물관을 방문하여 국가가 위기를 당할 때 나라를 지키기 위해 싸웠던 선조들을 통해 기독교인으로서 나라를 위함이 무엇인지를 돌아보고, 고인돌 선사 공원에서 선사시대를 창조론적으로 조명해 볼 수 있다.

7. 수원 화성과 융건능, 제암리 교회 답사

융건능과 화성 답사를 통해 사도세자와 정조 시대의 치열한 관료와의 투쟁을 통한 정조의 실학 정신과 시민 정책, 천주교의 전파에서 새 시대를 개척하려던 근대화의 노력을 살펴보고, 제암리 교회의 상황을 통해 일제 강점기 기독교의 역할을 배울 수 있다.

임규석 약력

1958. 경기도 광주 출생
1977. 서울 영동고등학교 졸업
1978. 공주사범대학교 역사교육과 입학
1991. 연세대학교대학원 역사교육전공 졸업
1994. 한국방송통신대학교 영어영문학과 졸업
1998. 상담교사 자격 취득
2019. 구당침뜸 침구사 자격 취득
2023. 간호조무사 자격 취득

1982. 경기도 전곡고등학교 교사 발령
2004. 수원명성제일교회 안수집사 임직
2007. 청북중학교 교감 발령
2014. 양성초중학교 교장 발령
2015. 하늘빛우리교회 장로 임직
2021. 기산중학교 교장 퇴임
2022. 기독대안학교 하늘빛우리학교 교장 및 역사교사 퇴임
2023. 캄보디아 시아누크빌 의료 선교 활동

크리스천 부모의
특별한 자녀교육

초판 1쇄 2023년 06월 10일 발행

지은이 임규석
펴낸이 김용환
편 집 안종성
디자인 박지현
발행처 (주)작가의탄생 **출판등록** 제 406-2003-055호
임프린트 하이지저스 **주소** 04521 서울특별시 중구 청계천로 40 CKL 1315호
대표전화 1522-3864 **전자우편** we@zaktan.com **홈페이지** www.zaktan.com
ISBN 979-11-394-1400-4 03230

* 하이지저스는 (주)작가의탄생의 기독교 출판 임프린트 입니다.